デンマークの暮しから生まれたニット

KNITS from DENMARK by MARIANNE ISAGER マリアンネ・イサガー

文化出版局

本書では、私が長年慣れ親しみ、頻繁に用いてきた技法を多く取り入れています。古くからの技法の、新しい使い方を編み出すのが好きなのです。異なる糸や針の太さで実験してみることで、ニットウェアの新たな表現が生まれます。本書に紹介されている作品を編むことを通じ、編み物の楽しさや、もっといろいろと編んでみたい、と感じていただけたらうれしいです。
編む過程を楽しむことを忘れずに。長年にわたって愛用することのできる作品を仕上げるよろこびを、ぜひ味わってください。

マリアンネ・イサガー

In this book, I used some of the knitting techniques that I have been using and playing with for many years. I like to find new and different ways to use the same techniques. Playing with different yarns, or different needle sizes, gives a knitwear a new expression. It is my wish that knitting some patterns from this book will give you an inspiration to knit more.
Remember to enjoy the process - and pleasures in making a personal garment to be worn for many years.

MARIANNE ISAGER

Contents

裏庭にある小さい家は「隠れ家」と呼んでいます。通常はゲストハウスとして使っていますが、ときには、しばらく隠れたりするのもいいですね。

この古い机は私の叔母から、いすは祖父から受け継いだもの。古いいすに座って、この場所でデザインをするのがお気に入り。愛する家族の思い出は、インスピレーションやエネルギーをもたらしてくれます。器はペルー、日本、デンマークの各地を旅したときに集めました。

かのこ編みジャケット MOSS STITCH JACKET

異なったタイプのモヘアを2本引きそろえてシンプルなかのこ編みに。
裾から前後続けて脇下まで編み、袖と合体してラグラン線で減らしながら衿ぐりまで編みます。
糸：リッチモア ソフシルクモヘア、シルクフィール<プリント> 編み方 ►P.50

グッドニュースセーター GOOD NEWS SWEATER

最初にこの「ニュースペーパー」模様を編んだのは、デンマークの新聞に依頼されてニットのデザインをしたときです。
しばらくの間いろいろな文字を試行錯誤していて、偶然この糸2本どりで文字とすきまを編むアイディアを思いついたのです。
これもシンプルな方法がベストだという好例でしょう。

糸：Isager Tvinni、Spinni　編み方 ►P.52

バスケットセーター BASKET SWEATER

バスケットのように見える模様を展開したデザイン。
編みやすく覚えやすい模様編みです。
横縞と2目ゴム編み、この2つの模様を融合させ、
ヨークと袖は2目ゴム編みで編みました。
袖山の中央で減し目することにより、
肩から袖にかけてなめらかなラインを作り出しています。
糸：ホビーラホビーレ リンネットウール
編み方 ►P.58

巻きカーディガン WRAP TOP

この巻きカーディガンは、トップダウンで編むので、身幅や長さなどを簡単に調節することができます。
袖を長くしたい場合はそのまま編み続ければいいのです。
2色を効果的に配しました。
糸：Isager Alpaca2、Highland　編み方 ►P.60

ケーブル模様のチュニック CABLE TUNIC

このチュニックのように、ケーブル模様は大きさをどんどん変化させてもいいのです。
トップダウンで編んだチュニックは、袖や身頃の長さの調節が簡単です。
糸：Isager Highland、Alpaca 1　編み方 ►P.54

スカイツリーマフラー SKY TREE SCARF

東京での住いは下町なので、スカイツリーが身近です。それを眺めてこの大きなジグザグ模様を思い描きました。メインの糸を決め、配色の2色を交互に縞にします。

糸：Isager Spinni、Alpaca 1　編み方 ►P.49

ハニーカーディガン HONEY CARDIGAN

ハニカム模様を用いたデザイン。
メインカラーで編む際にすべり目することで、差し色で6角形のはちの巣模様ができます。
今回はストライプと組み合わせました。
いろいろ実験ができるおもしろい模様で、特に差し色を細い糸にすると効果的です。
糸：Isager Alpaca 1、Spinni　編み方 ►P.63

ER
H

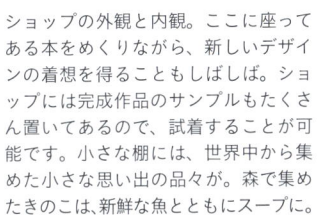

ショップの外観と内観。ここに座って
ある本をめくりながら、新しいデザイ
ンの着想を得ることもしばしば。ショ
ップには完成作品のサンプルもたくさ
ん置いてあるので、試着することが可
能です。小さな棚には、世界中から集
めた小さな思い出の品々が。森で集め
たきのこは、新鮮な魚とともにスープに。

トーキョーショール TOKYO SHAWL

このアシンメトリーなジグザグ模様のショールは、身にまとうと美しいドレープが出ます。
横縞をいろいろな残り糸で編んでもすてきです。
ここでは、メインのアルパカ1と引きそろえてあるので、さまざまな色をつかっても統一感が出ます。
糸：Isager Spinni、Alpaca1　編み方 ►P.66

コサックカーディガン COSSACK CARDIGAN

この本の多くの作品と同様、コサックもトップダウンで編みます。
身頃丈や袖丈が容易に調節できるため、たいへん便利な編み方です。
編始めはラグランの増し目位置に正確にマーカーを入れなければなりませんが、それさえきちんとやれば後は簡単です。
この作品は全体がゴム編みなので、初心者でも覚えやすいでしょう。
糸：Isager Plant Fiber、Alpaca1、Silk Mohair 編み方 ►p.67

ピーコックポンチョ PEACOCK PONCHO

ジグザグと波模様のポンチョ、デンマークではこれをピーコック模様と呼んでいます。
または、海の泡と呼んでもいいかも。トップダウンで編みます。
この波模様は私が最初に学んだレース模様です。
減し目とかけ目のセットが驚くような効果を発揮するのに魅せられました。
簡単であるにもかかわらず、とても複雑な模様に見えます。
糸：リッチモア ソフアルパカ、シルクフィール<プリント> 編み方 ►p.76

リトルセーター　LITTLE SWEATER

3種類の糸を1本どり、2本どり、3本どりと使い分けて、裏メリヤス編みの縞に編んでいます。
素材感や色が複雑にからみ合って、デリケートな仕上りになりました。
身頃は裾から、袖は袖口から編んで、ヨークで合体させ、衿ぐりまで編む、ボトムアップの編み方です。
糸：リッチモア　キャメルツイード、ソフシルクモヘア、シルクフィール<プリント>　編み方 ►p.78

ドミノスカート DOMINO SKIRT

ドミノ編みでは、正方形のモチーフをそれぞれ個別に編んでいきます。一度こつを覚えたら、とてもシンプルで簡単。
このスカートでは、ドミノ模様はバイアスに配置し、
裾からウエストにかけて正方形を小さくしていくことで、スカートのラインを作り出しています。
糸：リッチモア パーセント<グラデーション> 編み方 ►p.69

ドミノキャップ DOMINO CAP

ドミノ編みは正方形を一つ一つ完成させていきます。
スクエアの両サイドの目は作り目で増やし、中央で減し目をし、最後は1目で終了です。
色遊びも楽しいパターン。
糸：リッチモア　パーセント＜グラデーション＞、エクセレントモヘア＜カウント5＞　編み方 ►p.79

パッチワークセーター　PATCHWORK SWEATER

白樺編み(バスケット編み)にはさまざまな手法があり、色遊びをする余地がたくさんあります。
この作品には少量の余り糸も使用しています。
楽しんでオリジナルのセーターに仕上げてください。
糸：Isager Spinni　編み方 ►p.73

インディゴ色のコーンフラワー（矢車菊）は好きな花の一つ。庭で育てたものを、キッチンに飾るのが好き。
砂丘の向うには野生のホーソーン（サンザシ）がオレンジ色の実をつけています。
葉は草木染めに、実はビタミンCが豊富なので、飲み物や自家製ジャムにします。にんじんとオレンジの間のような味がします。

住いの近くに海と森の両方があることに、とても感謝しています。
夏には毎朝泳ぎに出かけることができ、冬は森に守られつつ、きのこの恵みと静寂を楽しめることは、心と身体への最高のごほうびです。

ジグザグ模様のセーター　ZIG ZAG TOP

このジグザグ模様のトップは、私のお気に入りの技法で編まれています。
身頃のシェーピングは模様と一体化しており、ネックラインやアームホールも模様によって形作られています。
トップダウンで編むのでサイズの調整も簡単、脇の作り目を増やせばより大きいサイズが編め、
脇にウエストシェープを追加することも容易です。
糸：ホビーラホビーレ　リンネットウール　編み方 ►p.88

ケーブル模様のマフラー SCARF with CABLE

グラデーションの毛糸で編んだ縄編みのマフラー。
縄は表にも裏にもあるので、巻くときに気になりません。
マフラーやショールを編むときには、裏表のない模様、またはあっても裏も美しい模様を選びます。
糸：パピー　アルパカリミスト、キッドモヘヤマルチ　編み方 ►p.87

クラーカ・ショール KRAKA SHAWL

クラーカは北欧の神話に出てくる女性。ラグナー・ロドブロクという伝説のデンマーク王は、あるときクラーカにとんちで挑みました。
彼女は王との会合に「一人で来てはいけないが、お供を連れて来てもいけない。食事をして来ても、空腹で来てもいけない。服を着ても裸でもいけない」という条件を言い渡されました。この難題に対し、彼女は犬を連れ、玉ねぎを食べながら、漁師の網を身にまとって現われたのです。
通常、編み物で目を落とすのはよくないことですが、このゴム編みの変形模様では9段ごとにわざと目を落とします。
8段前に増し目した目を落とすので、それ以上ほどけることはありません。
糸：Isager Spinni、Alpaca 1　編み方 ►p.84

風車キャップ WINDMILL CAP

輪でかけ目と2目一度を繰り返すと編み地がねじれてきます。
それを模様にしてトップの減し目も渦巻きに見えるようにしました。
てっぺんのアンテナはつけてもつけなくてもいいでしょう。
糸：リッチモア ソフアルパカ、シルクフィール<プリント> 編み方 ►p.97

シュガーカーディガン SUGAR CARDIGAN

このカーディガンは叔母のエラが着ていたもの。
初めて見たときからくたびれていたけれど、それから7、8年くらいはガーデニング用として活躍していました。
なぜSugarと呼ばれていたかというと、戦時中に砂糖のクーポンと交換したからだそうです。
エラのカーディガンにはゴム編みの袖口があったけれど、編み地全体がゴム編みのようなものなので、必要ないのではないかと思いました。
糸：Isager Tweed　編み方 ►p.82

ジャジーデーズセーター JAZZY DAYS SWEATER

大きなドミノ編みのトライアングルとスクエアで身頃ができています。
モチーフはそれぞれ相性のいい配色で縞に編んで。
袖は、スクエアの形がつながるように増し目と減し目でジグザグに編んでいます。
糸：Isager Tvinni、Highland、Alpaca2　編み方 ►p.94

ジグザグジャケット ZIG ZAG JACKET

ジグザグジャケットは、p.36のタンクトップと同様に肩の正方形から編み始めます。
トップダウンで編むので、長さの調節が簡単。
1段増し目をしないことで減し目ができ、逆に減し目をしないで編むことで増し目ができます。
この要領でジャケットのウエストシェープを編みます。
糸：リッチモア パーセント<グラデーション> 編み方 ►p.91

すべり目模様のカウル COWL with SLIP STITCH PATTERN

4目ゴム編みからトップダウンで編んでいくカウル。
裾にはすべり目で模様を入れます。
糸：リッチモア パーセント<グラデーション>、
エクセレントモヘア<カウント5・グラデーション>、
シルクフィール<プリント>

編み方 ►p.90

How to Knitting

本書では、編み方を文章と製図で記載しました。
どちらの方法でもお好みの方法を選び、また併用して編んでいただけると幸いです。

スカイツリーマフラー SKY TREE SCARF p.16

寸法 ……… 44×210cm、または好みの長さ
使用糸 …… Isager Alpaca1の生成り(2s)150g
Spinniの薄茶(6s)100g
Spinniのグレー(4s)100g
A＝Alpaca1とSpinniのグレー2本どり
B＝Alpaca1とSpinniの薄茶2本どり
ゲージ …… 27目27段が10cm四方
使用針 …… 4mm
略語 ……… K＝表編み
P＝裏編み
K2tog＝左上2目一度
K2tog tbl＝2目の後ろのループを編む(右上2目一度になる)
M＝ねじり増し目

色Aを用い、121目 作り目をする。
段1：K1、最後の1目までP、K1。
段2：*K1、K2tog、K17、M1、K1、M1、K17、K2tog tbl*、*〜*までを繰り返し、最後はK1。
段3：段1と同様に編む。
段4：段2と同様に編む。
段5：段2と同様に編むが、色Bに替える。最初の1目は3本の糸で編む。
段6：段1と同様に編む。
段7：段2と同様に編む。
段8：K1、最後の1目までP、K1。

4段を色A、次の4段を色Bと交互に替えながら、段1〜8を繰り返す。
色を替える最初の目は3本一緒に編むことで、端に長い糸が出てゆるむのを防ぐことができる。

好みの長さになったら、最後の4段は色Aで終える。伏せ目をする。

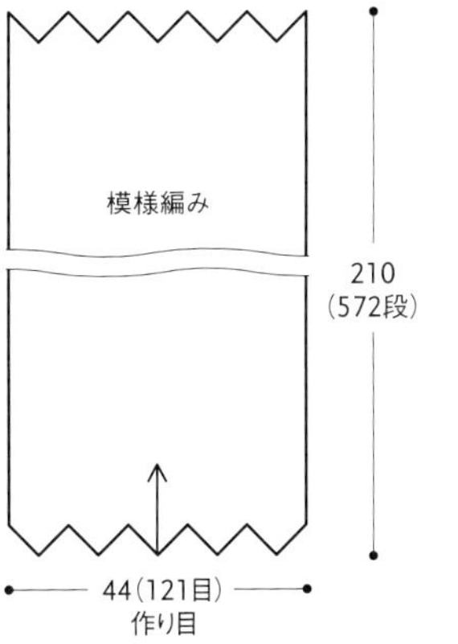

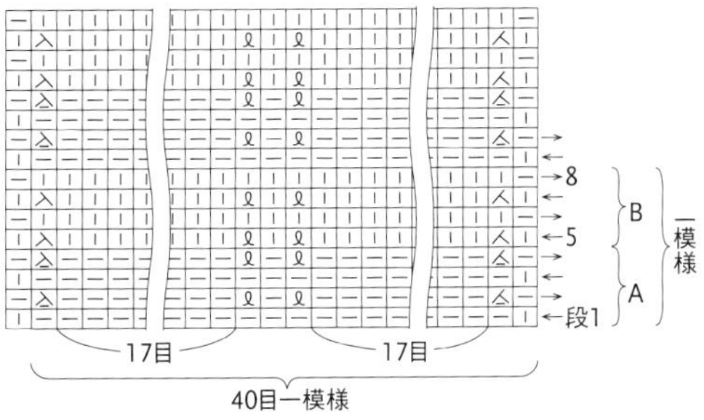

かのこ編みジャケット MOSS STITCH JACKET p.6

サイズ …… M(L)
寸法 ……… 胸回り 116(128)cm
着丈 54(57)cm
袖丈 29(32)cm
使用糸 …… リッチモア ソフシルクモヘアの金茶色(8)280(320)g、
シルクフィール〈プリント〉の金茶系グラデーション(102)120(140)g(各1本の2本どり)
ゲージ …… かのこ編みで18目40段が10cm四方
使用針 …… 3.5mm
略語 ……… K=表編み
P=裏編み
K2 tog=左上2目一度

身頃の裾から脇下まで

2本どりで260(278)目作り目をする。
段1(裏段):糸を手前に置きすべり目3、最後の3目までK、糸を手前に置きすべり目2、K1。
段2:糸を手前に置きすべり目1、段の終りまでK。
編み地が2cmになるまで段1と2を繰り返す。
段3:糸を手前に置きすべり目3* P1、K1*、*〜*を最後の3目まで繰り返し、糸を手前に置きすべり目2、K1。
段4:糸を手前に置きすべり目1、K2* K1、P1*、*〜*を最後の3目まで繰り返し、K3。
段3と4を、編み地が27(30)cmまたは好みの長さになるまで繰り返す。
裏面から72(76)目編み、次の10目を伏せ目する(もしくは1段編んでからほつれ止めに移す)、さらに96(106)目編み、10目を伏せ目する(もしくは1段編んでからほつれ止めに移す)、最後の72(76)目を編む。編み地を休ませて袖を編む。

袖(左右同様に編む)

2本どりで74目作り目し、次のように編む。
段1(裏段):K1、糸を手前に置きすべり目1、最後の2目までK、糸を手前に置きすべり目1、K1。
段2:K。
編み地が2cmになるまで段1と2を繰り返す。
段3:K1、糸を手前に置きすべり目1、*K1、P1*、*〜*を最後の2目まで繰り返し、糸を手前に置きすべり目1、K1。
段4:K2* P1、K1*、*〜*を最後の2目まで繰り返し、K2。
段3と4を、袖が27(30)cm、または好みの長さになるまで繰り返す。
両側の5目ずつを伏せ目する(もしくは1段編んでから伏せる代りにほつれ止めに移す)。
もう一枚の袖も同様に編む

身頃と袖を合体

次の表段で身頃と袖を合体させる。右前身頃、袖、後ろ身頃、袖、左前身頃の順番に編む。その際、身頃と袖の端から各1目のところにマーカーを入れる(4か所、計8個)。この印をつけた4×2=8目は、表段ではK、裏段では(糸を手前に置き)すべり目する。
かのこ編みを繰り返しながら、4段ごとにマーカーの両側で減目をする。
マーカーの1目手前までかのこ編み、左上2目一度、右上2目一度、*〜*を繰り返し、段の終りまで編む。その都度マーカーは外してずらす。

衿ぐり

編み地が袖と身頃を合体させた位置より15cmになったら、最初の24(28)目をほつれ止めに移す。 続けて編み、最後の24(28)目もほつれ止めに移し、引返し編みを行なう。次の段より5目、3目、1目を残す順で引き返し、ラグラン部分のマーカーの手前に目が残らない状態まで繰り返す。引き返す際は裏返した後、かけ目をする。引返し編みが終わったら、1段段消しをする(かけ目を隣の目と2目一度しながら編む)。
と同時に、袖の目数が26目になったら、袖中央の2目に印をつけ、この2目を裏段ごとにすべり目する(糸は手前に置く)。4段おきに、この2目の両側で減目する。この減目を袖が2目になるまで繰り返す。

衿ぐりの縁編みと仕上げ

段1と2と同様にガーター編みをする。ガーター部分が2cmになったら、表段で伏せ目する。
袖下をすくいとじにし、伏せた身頃と袖をはぐ。

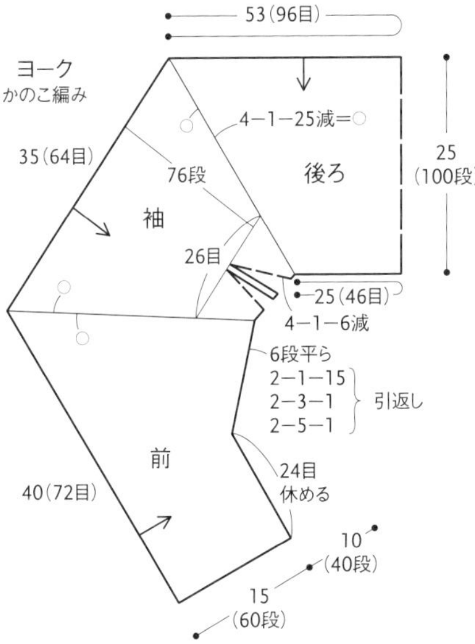

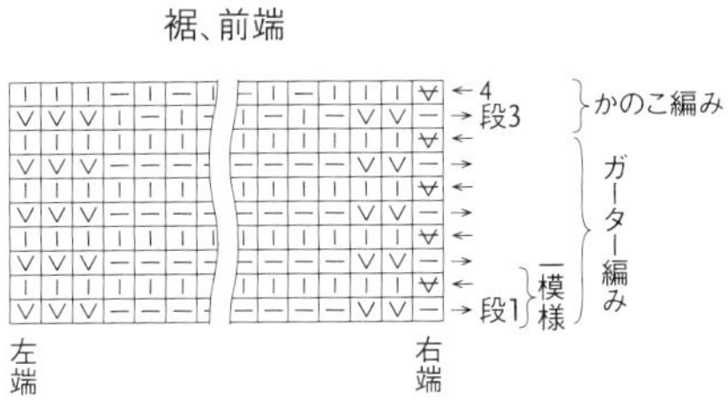

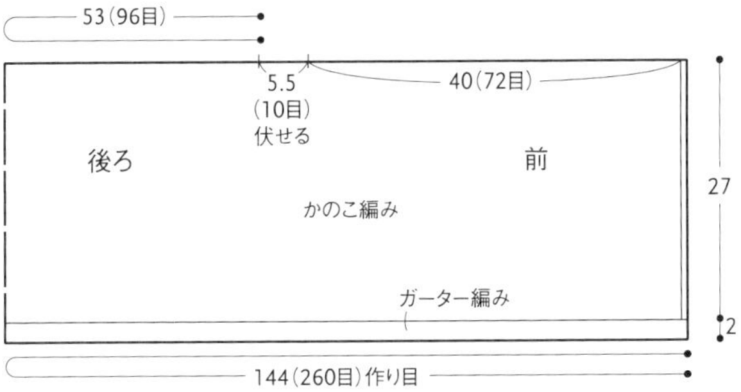

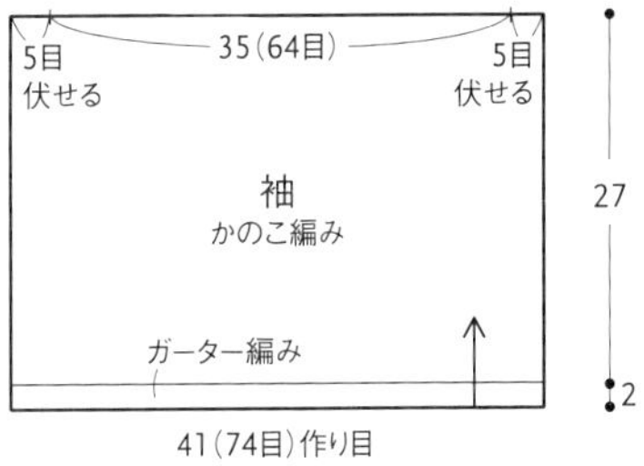

グッドニュースセーター GOOD NEWS SWEATER p.8

サイズ …… M(L)
寸法 ……… 胸回り 102(114)cm
着丈 53(59)cm
袖丈35〜40cm、または好みの長さ
使用糸 …… Isager Tvinni の薄いグレー(2s)150(200)g = Aメインカラー、
濃いグレー(47)100(150)g = B模様とヨーク、
黄緑(40s)50g = C 端、
Spinni の生成り(0)25 g = Dフェアアイル模様と外側の端
ゲージ …… ニュースペーパー模様で25目36段が 10cm四方
使用針 …… 3、3.5mm、衿ぐりとヨークは好みで2.5mmでもよい
略語 ……… K = 表編み
P = 裏編み

前身頃

3mmの針で糸Cで120(130)目作り目をする。ガーター編み3cm編む
次の表段:均等に増し目し128(142)目にする(約15(10)目ごとに1目の割合)
裏段:糸Aに替え、裏編みする。

ニュースペーパー模様

段1:糸AでK。
段2:糸AでP。
段3:*糸AでK2、糸AとBの2本どりでK12*、*〜*を繰り返し、最後は糸AでK2。
段4:段2と同じ。
段5:段1と同じ。
段6:糸AとBの2本どりでK1、糸AでP1、糸AとBの2本どりでP12、*糸AでP2、糸AとBの2本どりでP12*、*〜*を繰り返し、最後は糸AでP1、糸AとBの2本どりでK1。

模様の6段を編み地が46(52)cm(作り目から)になるまで、または好みの長さまで繰り返す。 段2で終える。
オプション:ところどころで糸CをBの代りに使って5目編む。その際糸Bは裏側で渡す。

ボーダー

糸Cで1段K、1段P、次に糸BとDで4段(フェアアイル模様で)編む。
段1:糸BとDの2本どりでK1、*糸DでK2、糸BでK2*、*〜*を繰り返し、糸BとDの2本どりでK1。
段2:糸BとDの2本どりでK1、*糸BでP2、糸DでP2*、*〜*を繰り返し、糸BとDの2本どりでK1。
段1と2をもう一度繰り返す。全部で4段。裏側で糸を引っ張らないよう気をつける。
ニュースペーパー模様と幅を同じにするには、これら4段を3.5mmの針で編む。

ヨーク

糸Bで2段K。中央の10目をほつれ止めに移す。これより両サイドを別々に編む。
衿ぐり側で目を伏せる:3目を2回、続いて2目を2回、1目を2回伏せ目をする。
15段めから、肩の引返し編みを開始:アームホール側から6(7)目手前までK、裏返しかけ目、すべてK。
次の段ではアームホールから12(14)目手前までK、裏返しかけ目、すべてK。
このかけ目は、目と目のすきまをなくすためのものなので、1目には数えない。同様に続け18(21)、24(28)目など6(7)目ごとに裏返し、6×6(6×7)目 = 36(42)目を編んだら終わり、4(5)目が残る。最後に1段段消しをする。両肩を編み終えたら、目をほつれ止めに移す。

⅄後ろ身頃

ボーダーが終わるまで前身頃と同じに編む。糸Bに替え、14段ガーター編みにする。
次の段：アームホール側から6(7)目手前までK、裏返しかけ目、逆のアームホールから6(7) 目手前までK。裏返しかけ目。
次の段：前段の引返しから6(7)目手前までK、裏返しかけ目、前段の引返しから6(7)目手前までK。裏返しかけ目。
最後の行をもう一度繰り返し、中央の40目をほつれ止めに移す。
右肩から編む。引返しをあと3回繰り返しながら、と同時に、衿ぐり側で2目伏せ目を2回行なう。
1段段消しをする。反対側の肩も同様に編む。

カーペットの上に広げたタオルに前後身頃を置く。寸法どおりにピン打ちし、上にぬれた布をかぶせる。完全に乾燥させたらピンを外す。

⅄肩のはぎ

前後身頃の対応する肩の目をそれぞれ針に戻し、2本の針を中表にして平行に持つ。前後の針から1目ずつを2目一度しながら、すべての目を伏せ目していく。

⅄衿ぐり

肩のはぎ目から開始し、糸Cで衿ぐりから124目を拾いながら編む。6段メリヤスで編む。
2本めの針を用い、6段下で糸BとC が混じる鎖のような部分から、124目拾い目をする。 針2本を平行に持ち、糸Dを用いてこの2本の針から2目一度していく。
肩のはぎ目の両側5目を安全ピンに取り、糸Dで114目をガーター編みで14段(7畝)編む。表側から伏せ目をする。糸Dの端の後ろ側から糸Cで124目(安全ピンにとってあった10目も含む)を拾いながら編む。肩のはぎ目の部分から開始する。ガーター編みで18段(9畝)編み、表側から伏せ目をする。

⅄袖

糸Bで、肩のはぎ目からはかって前後それぞれ17cmから43目を拾いながらK(86目)。裏返してP。 今度は糸Bをメインカラー に糸Aを文字にして模様編みをする。
糸BでK2、糸BとA の2本どりで K12。*〜*を繰り返し、最後は糸BでK2。同様に編みながら、中央の2目に印をつける。8段ごとに印の両側で1目ずつ減目をする。50目になり、袖が35〜40cm、または好みの長さになったら、最後は糸Cで6段メリヤス編みを編む。目を伏せ、端は丸まるに任せる。

袖に優しくスチームを当てる。表側からすくいとじで袖と脇を縫う。縫い目にもスチームを当てる。

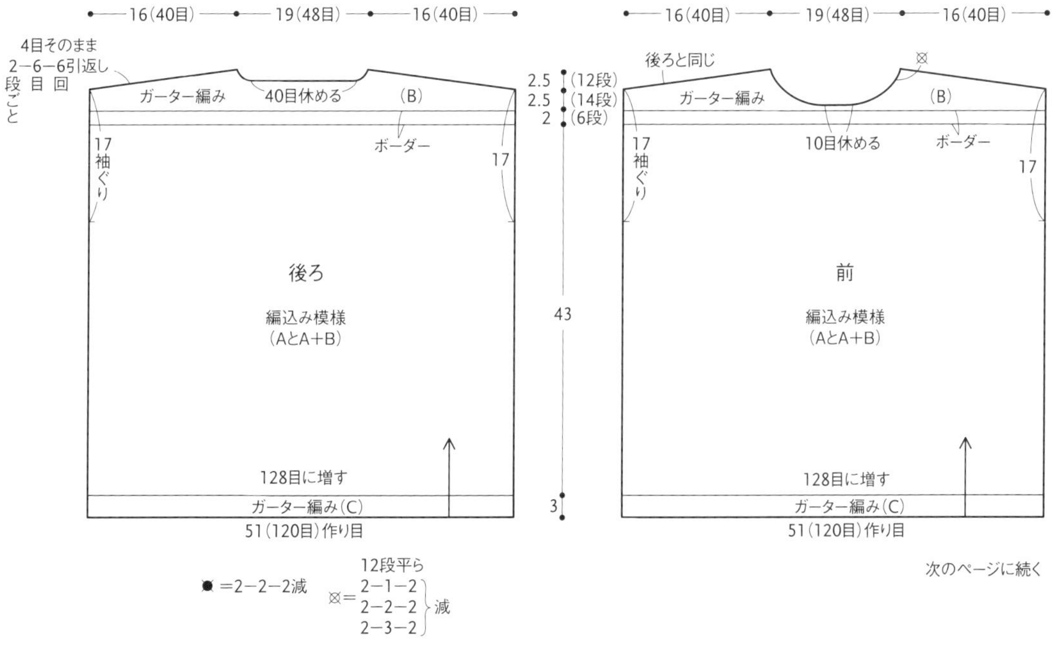

次のページに続く

グッドニュースセーター GOOD NEWS SWEATER

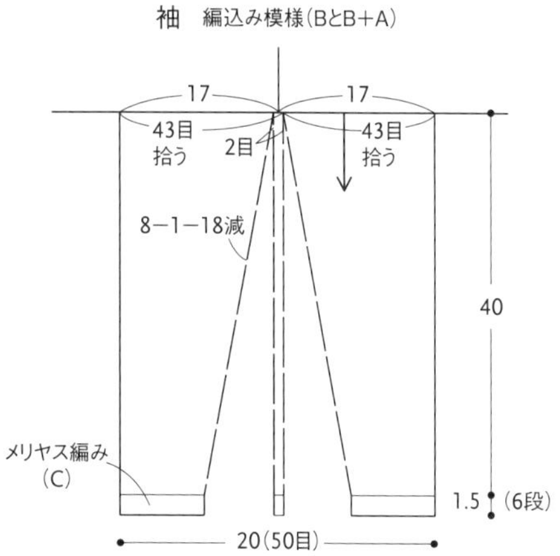

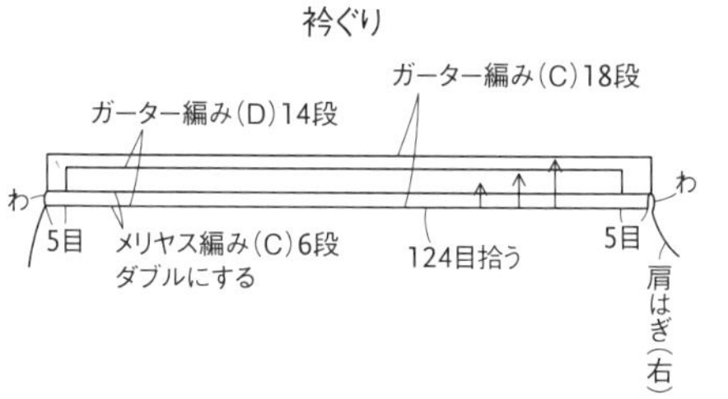

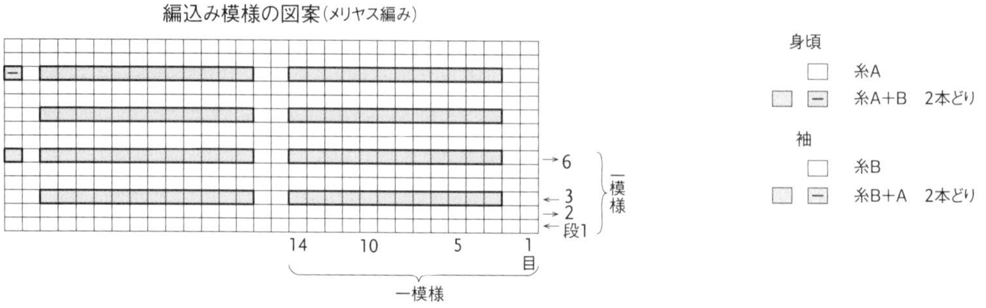

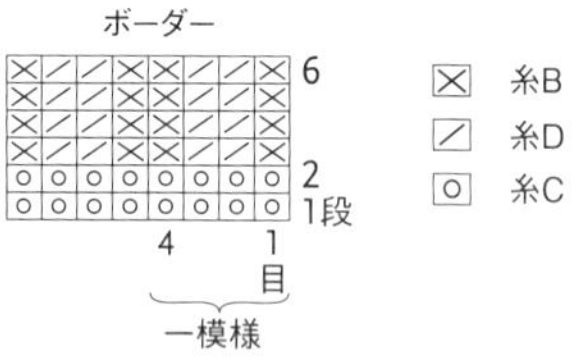

ケーブル模様のチュニック CABLE TUNIC p.14

サイズ …… M(L)
寸法 ……… 胸回り 88(98)cm
着丈 70cm、または好みの長さ
使用糸 …… Isager Highland の紺(Greece)300(350)g
Alpaca 1の紺(54)150(200)g(各1本の2本どり)
ゲージ …… 23目32段が10cm四方
使用針 …… 3mmと3.5mmの輪針、縄編みを編むための短針
略語 ……… K=表編み
P=裏編み
M=ねじり増し目
yo=かけ目
Kfb=1目の手前と後ろのループに各1回ずつ編み入れる増し目
SM=糸マーカーを左針から右針に移動させる
Sl1 wyab=糸を編み地の後ろに置いたまま、すべり目1目
K2tog=左上2目一度

✂ スワッチ（試し編み）

12目作り目をし、5段ガーターで編む。

ゴム編みをする。
表段：K1、P1、K3、P2、K3、P1、K1。
裏段：K2、P3、K2、P3、K2。
1.5cmになるまで繰り返す。

段1（表段）：K1、P1、K1、次の目に2目編み入れる、K1、P1、M1、P1、K1、次の目に2目編み入れる、K1、P1、K1＝15目。
段2（裏段）：K2、P4、K1、P1、K1、P4、K2。
段3（ケーブル）：K1、P1、*次の2目を短針に移し手前に置き、次の2目をK、短針からK2*、P1、K1、P1、*〜*を繰り返し、最後はP1、K1。
段4：段2と同じ。
段5：K1、P1、K4、P1、K1、P1、K4、P1、K1。
段6：段2と同じ。
段7：段3と同じ。
段8：段2と同じ。
段9：ケーブルの両側で増し目する：K1、P1、M1、K4、M1、P1、K1、P1、M1、K4、M1、P1、K1＝19目。
段10：K3、P4、K2、P1、K2、P4、K3。
段11：K1、P2、次のようにケーブルを編む：2目を短針に移し手前に置き、M1（ただしねじらない）、Kfb（＝2目）、K1、短針より2目K、P2、K1、P2、次のケーブルも同様に編み、最後はP2、K1＝23目。
段12：K3、P6、K2、P1、K2、P6、K3。
段13：K1、P2、K6、P2、K1、P2、K6、P2、K1。
段14：段12と同じ。
段15：段13と同じだが、3×3のケーブルを編む：3目を短針に移し手前に置き、K3、短針よりK3。
段16：段12と同じ。
段17：段13と同じだが、ケーブルの両側でM1＝27目。
段18：K4、P6、K3、P1、K3、P6、K4。
段19：K1、P3、K6、P3、K1、P3、K6、P3、K1。
段20：段18と同じ。
段21：ケーブルを編む。
段22：段18と同じ。
段23：段19と同じ。
段24：段18と同じ。
6段K、そのあと表側から伏せ目をする。
柔らかい平面にスワッチをピンでとめる。上からぬれた布をかぶせ、乾くまで放置する。乾いたらゲージをはかる。

✂ 身頃（衿ぐりから編む）

短い3mmの輪針で120目作り目をし、ガーター編みを約1.5cm（3畝）編む：（1段P、1段K）を繰り返す。

最初の62目に印をつける＝（P2、K3）×12回＋P2。これらの目の両側にマーカーを入れる。次の段では62目を次のように編む：*P1、M1、P1、K1、M1、K2*、*〜*を繰り返し、最後はP1、M1、P1。

引返し編み（平編み）でネックラインのカーブを編む：
裏返し、裏段を編む：yo（引返しの段差を埋めるためのかけ目）、*K1、P1、K1、P4*、*〜*を繰り返し、最後はK1、P1、K1、SM、P3、K2。

裏返し、yo、そして表段を編む：P1、M1、P1、K1、M1、K2。続けて87目も編む：*P1、Sl1 wyab、P1、K4*、*〜*を繰り返し、最後はP1、Sl1 wyab、P1。SM、K2tog（かけ目と次の目）、M1、K2、P1、M1、P1。

裏返し、yo、そして裏段を編む：*K1、P1、K1、P4*、*〜*を繰り返し、下の段のかけ目より5目先まで編む。
同様に、下の段の引返し位置より5目先まで編むことを、裏側と表側で3回ずつ繰り返す。このとき、表段では必ず段消しをすること、そしてP1、sl1 wyab、P1を編むことを忘れずに。
3.5mmの輪針に持ち替えるが、後ろ身頃を示すマーカーはそのままにしておく。

次の表段でケーブルを編む：*P1、Sl1 wyab、P1、2目 を短針に移し手前に置き、K2、短針からK2*、*〜*を繰り返して129目編む。
続けて前身頃側の29目も編みながら、同時に増し目をする：*P1、M1、P1、K1、M1、K2*、*〜*を繰り返し、最後はM1、K2。
次の段からは輪で編む：*P1、K1、P1、K4*を繰り返すが、4段めではケーブルを編む。 現時点で針には24×7目＝168目がかかっている。1段ケーブルなしで編む。

次の段ではケーブルの両側で増し目する：*M1、P1、Sl1 wyab、P1、M1、K4*。
現時点で針には24×9目=216目がかかっており、全体を次のように編む：*P2、K1、P2、K4*。
上記の要領で1段編み、ケーブルを再び編む。
3段編み、4段めでケーブルを編む。
3段編み、4段めで次のようにケーブルを編む：2目を短針に移し手前に置き、M1（ただしねじらない）。Kfb（＝2目）、K1。短針より2目K＝6目のケーブルが完成。同様に段の終わりまで編む。
現時点で針には24×11目＝264目がかかっており、全体を次のように編む：*P2、K1、P2、K6*。
上記の要領で5段編んだら、6段めで6目のケーブルを編む。
5段編み、6段めでケーブルを編み、同時にケーブルの両側で1目増し目をする。
現時点で針には24×13目＝312目がかかっており、全体を次のように編む：* P3、K1、P3、K6*。
5段編み、6段めで8目のケーブルを編みながら増し目をする＝B：3目を短針にすべらせ、短針でM1、これら4目を手前に置き、Kfb、K2、短針からK4。
現時点で針には24×15目＝360目がかかっており、次のように編む：*P3、K1、P3、K8*。
7段編んだら、8段めで8目のケーブルを編むと同時に、ケーブルの両側で増し目をする：*M1、P3、Sl1 wyab、P3、M1、次の4目を短針に移し手前に置き、K4、短針からK4*。
現時点で針には24×17目＝408目がかかっており、次のように編む：*P4、K1、P4、K8*。
サイズM：7段編み、8段めでケーブルを編む。
サイズL：7段編む。8段めでケーブルを編むと同時に、ケーブルの両側で増し目をする。2×5目＝10目のケーブルとなる。
現時点で針には24×19目＝456目がかかっており、全体を次のように編む：*P4、K1、P4、K10*。
これを9段編んだら、10段めでケーブルを編む。

背中心の目を見つけたら、その目より両側にケーブル3.5個分の目を数える＝119（133）目、前中心も同様にする。残りの85（95）目は袖なので、あとで編むように休めておく。

脇下にそれぞれ17（19）目ずつ作り目をし、1段あたりケーブルを16回編めるようにする。 8（10）段ごとにケーブルを編みながら、脇下から15cmになるまで編む。次の段はケーブルの両側で1目増し目する＝新しい目が32目できる。さらに15cm編んだら増し目する。トータルで3回増し目を繰り返す＝3×32目。チュニックが80cm、または好みの長さになるまで続ける。次の段では10目ごとにK2 togを繰り返す。続けてガーター編みで畝を3つ編む：*1段P、1段K*、*〜*を3回繰り返す。表側から伏せ目をする。

袖

袖の目を短い輪針に移し、脇下の作り目部分から17（19）目を拾いながら編む。（K3、P2）ゴム編みで1段編む。ケーブルの“脚”はK3、その間はP2という要領で続ける：P2、K3、P2…となるように減目をする：K2 tog、K1、K2 tog、P2、K1、K2 tog、K1、P2＝これで10目。このように（K3、P2）のゴム編みを編む。 袖口が3cmになったら、ガーター編みを6段して終える（身頃の裾と同様）。 表側から伏せ目をする。オプション：裾が広がらないように、最初の段で何目か減目する。

端糸を始末し、カーペットの上にタオルを広げ、チュニックをのせる。仕上り寸法になるようにピンでとめ、上からぬれた布をかぶせる。 完全に乾燥してからピンをはずす。

後ろ衿ぐりの引返し

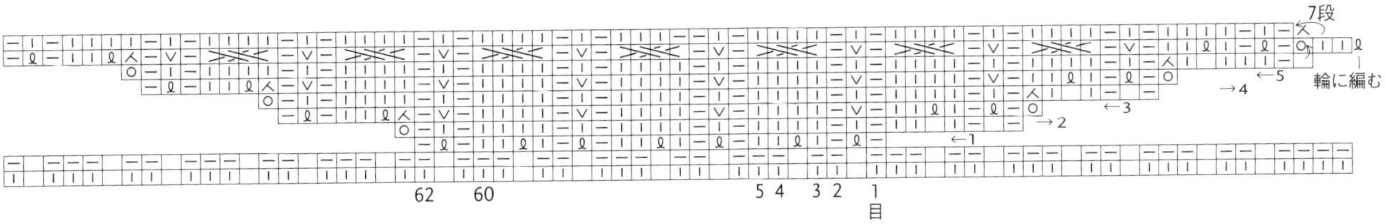

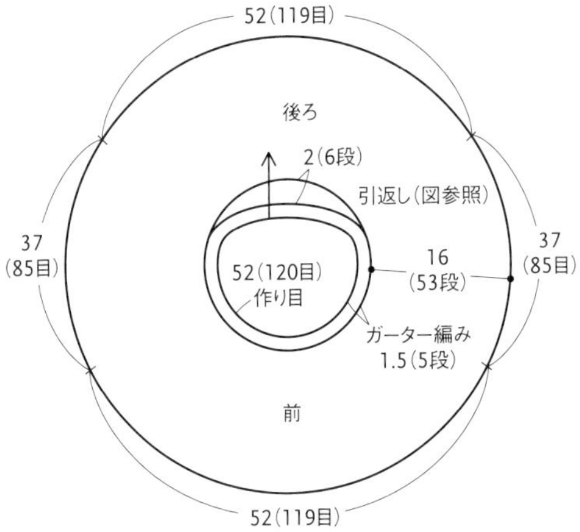

スワッチ

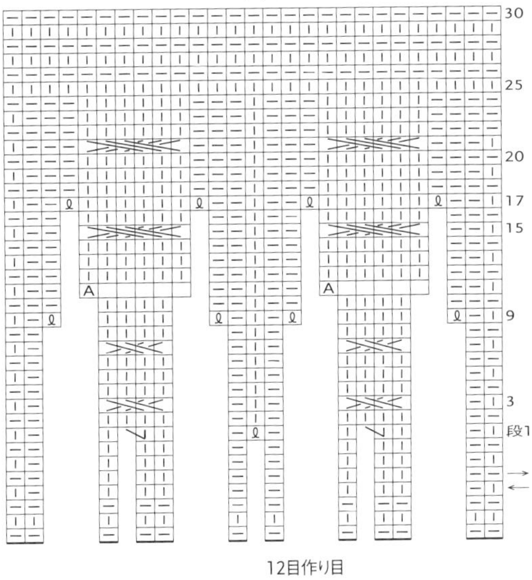

A=スワッチの段11参照

B=編み方B参照

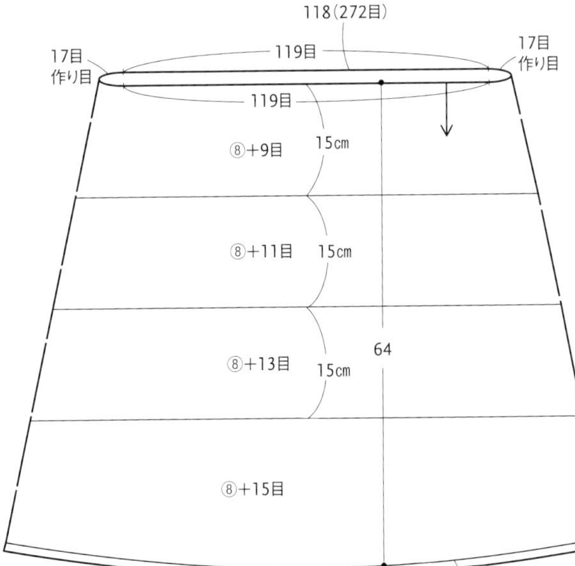

※⑧+9

ケーブルの目数　間の目数

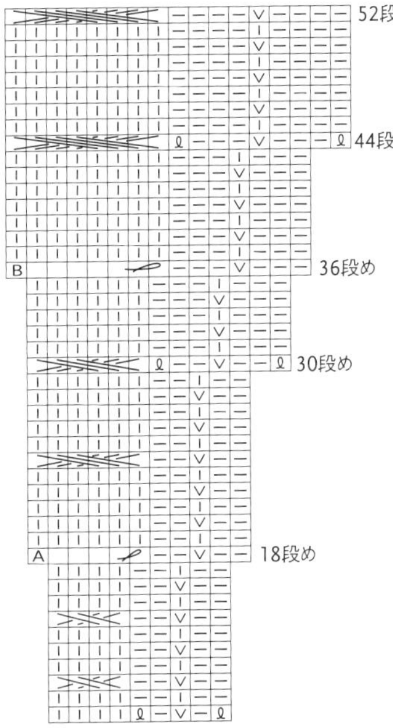

袖の拾い目

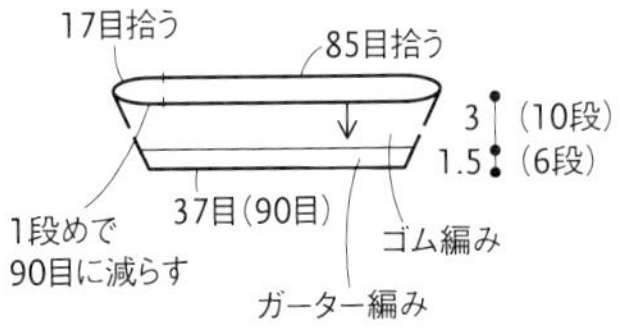

袖のゴム編み

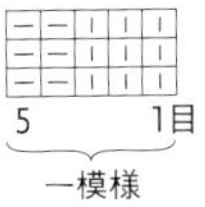

バスケットセーター BASKET SWEATER p.10

サイズ …… M（L）
寸法 ……… 胸回り 88（100）cm
着丈 63 cm
袖丈 25（30）cm、または好みの長さ
使用糸 …… ホビーラホビーレ　リンネットウールのパープル（07）300（350）g
ゲージ …… 30目38段が10 cm四方
使用針 …… 2.5 mmと3 mm
略語 ……… K＝表編み
P＝裏編み

前身頃と後ろ身頃

◎前身頃
2.5 mmの針で132（152）目作り目をする。
段1（裏面）：K1、*P2、K2*、*〜*を繰り返し、最後の1目をK1。
裾からはかって3cmになったら3mmの針に替える。表編みと裏編みで模様を編む。

編み地が40cmになったら、模様を変えて編む。中央の10目の両端にマーカーをつけ、その両側にゴム編みを追加していく。
10段すべてゴム編みで編んだら、肩と衿ぐりの引返し編みを始める。中央の18（22）目をほつれ止めに休め、片側ずつ編む。肩側では端から6（7）目手前で、衿ぐり側では端から6、4、4、3、2目手前で引き返し、最後目がなくなるまで繰り返す。 裏返す際、かけ目をする（このかけ目は後に段消しをする）。
肩の各36（44）目と衿ぐりの60（64）目を休ませておく

◎後ろ身頃
前身頃と同様に、ただし衿ぐりの引返し編みはなしで編む

肩のはぎ

前身頃の片側の肩の目を針に戻す。後ろ身頃の対応する側の目も、別の針に戻す。
中表に前後身頃を合わせ、3本めの針で前後の目を一緒に編みながら、伏せ目をしていく。すべての目を伏せる。

袖

肩のはぎ目から前後それぞれ18cmはかってマーカーをつける。マーカーからはぎ目まで52目拾い、肩のはぎ目から2目、反対側のマーカーまで再び52目拾う。合計で106目になる。
裏側から編み始める：K1、P1、*K2、P2*、*〜*を最後の4目まで繰り返し、K2、P1、K1
この要領で2目ゴム編みを続け、印をつけた中央の2目の両側で、4段ごとに1目ずつ減目する。 片側20目ずつ、全部で40目減目し終えたら、袖が25（30）cm（または好みの長さ）になるまで増減なしにゴム編みを続け、伏止めする。反対側の袖も同様に編む。

仕上げ

端糸を始末し、カーペットの上にタオルを広げ、その上に編み地を広げる。寸法どおりにピン打ちし、上にぬれた布をかぶせる。完全に乾燥したらピンを外す

◎衿ぐり
衿ぐりの目を針に戻し、かけ目とその左の目を2目一度しながら、2目ゴム編みをする。4cmになったらゆるく伏せ目をし、端を裏側に折ってまつる 。

袖と脇を表側からすくいとじする。

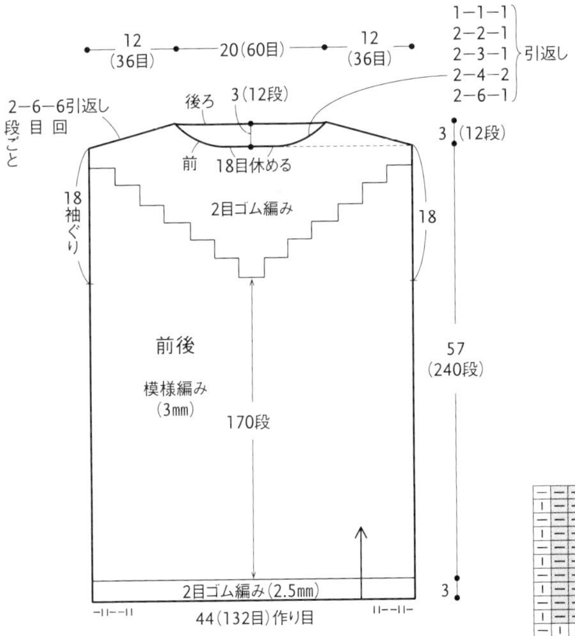

12 (36目)
20(60目)
12 (36目)
1−1−1
2−2−1
2−3−1
2−4−2
2−6−1
引返し
2−6−6引返し
段 目 回
ごと
後ろ
3(12段)
前
18目休める
3 (12段)
18 袖ぐり
18
2目ゴム編み
前後
模様編み (3㎜)
170段
57 (240段)
2目ゴム編み(2.5㎜)
3
44(132目)作り目

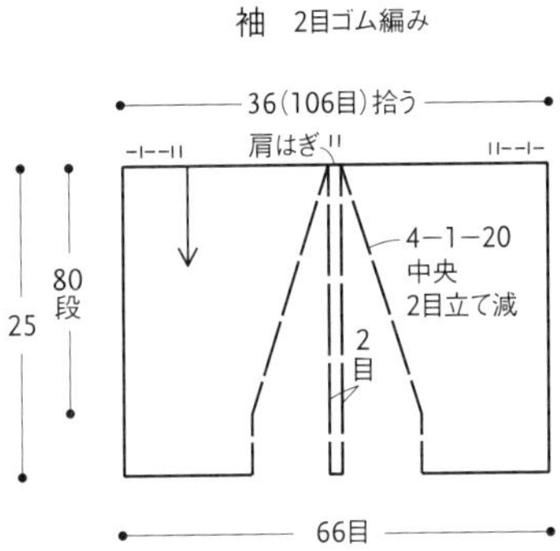

袖 2目ゴム編み
36(106目)拾う
肩はぎ
25
80段
4−1−20
中央
2目立て減
2目
66目

模様編み

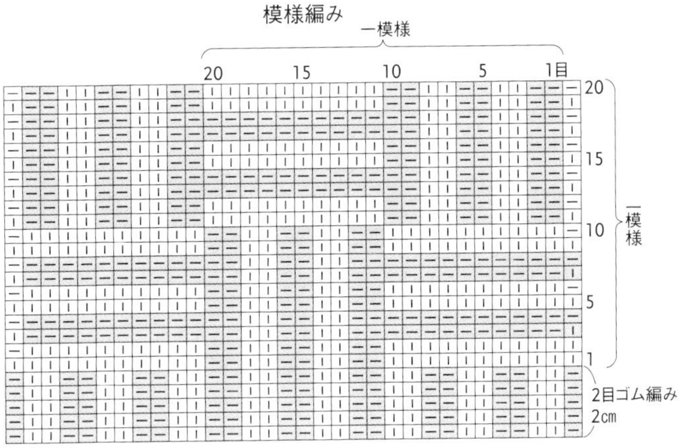

一模様
20
15
10
5
1目
20
15
10
5
1
一模様
2目ゴム編み 2㎝

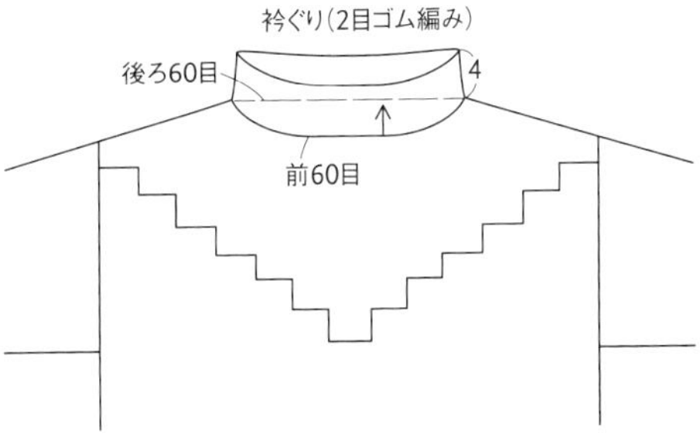

衿ぐり(2目ゴム編み)
後ろ60目
4
前60目

まとめ

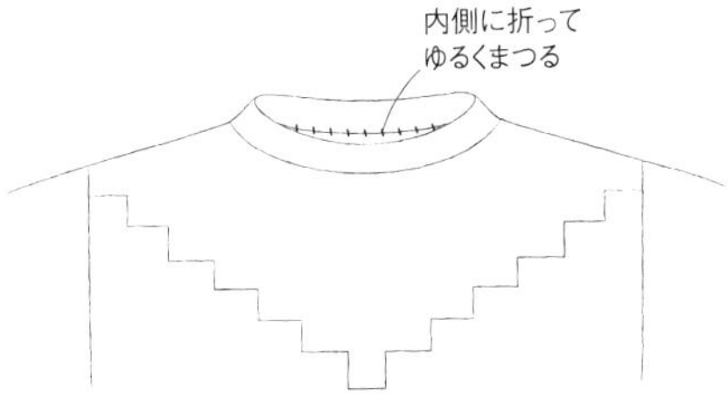

内側に折って
ゆるくまつる

模様の変え方

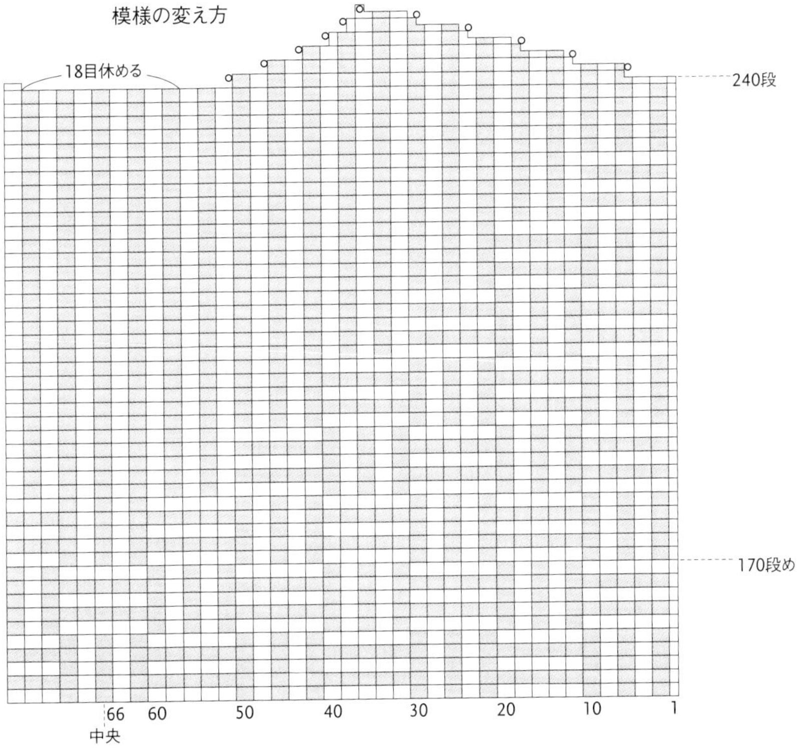

18目休める
240段
170段め
66
60
50
40
30
20
10
1
中央

巻きカーディガン WRAP TOP p.12

サイズ …… S/M(M/L)
寸法 ……… 身幅46(50)cm、または好みのサイズ(+10目で+4cm)
着丈50(55)cm、または好みの長さ
使用糸 …… Isager Alpaca 2の若草色(46)150(200)g=A
Highlandのブルーグレー(Ocean)50(50)g=B
ゲージ …… 5目ゴム編みで25目40段が10cm四方
使用針 …… 3mm
略語 ……… K=表編み
P=裏編み
M=ねじり増し目

スワッチ(試し編み)

スワッチを編んでゲージを確認する。30目作り目をし、以下のように編む。
段1(表段):*K5、P5*、*〜*を繰り返す。
段2(裏段):段1と同様に編む。
40段編む。

スワッチをアイロン台などの柔らかい平面にピンで打ちし、ゲージをはかる。きつすぎる場合はより太い針で、ゆるい場合は細いサイズの針で本番を編む。

平編みし、糸の色が入れ替わる場所では裏側で2本の糸をからめる(インターシャという技法)。両端の目はガーター編みにする。
増し目はねじり増し目で行なう。
最初の数段は編みにくいが、一度構造を把握すると簡単に編めるようになる。
袖を長くしたい場合は、そのまま袖を編み続ければよい。オプションとして6段ごとに袖下部分のマーカーの両側で減目をしてもよい。

身頃と袖(衿ぐりから編み始める)

色Aを用い2目、色Bを用い1目、色Aを用い51目、色Bを用い1目、色Aを用い2目作り目をする。

段1(裏段):A:K1、P1、マーカーを入れ(PM)、B:P1、A:P1、PM、P5、PM、P2、PM、(P5、K5)を3回繰り返す、P5、PM、P2、PM、P5、PM、P1、B:P1、PM、A:P1、K1。

段2:A:K2、M1、B:M1、K1、A: K1、M1、K5、M1、K2、M1、(K5、P5)3回繰り返す、K5、M1、K2、M1、K5、M1、K1、B:K1、M1、A:M1、K2。

段3:A:K1、P2、B:K1、P1、A:P1、K1、P5、K1、P2、K1、(P5、K5)3回繰り返す、P5、K1、P2、K1、P5、K1、P1、B:P1、K1、A:P2、K1。

段4:A:K2、M1、K1、B:P1、M1、K1、A:K1、M1、P1、K5、P1、M1、K2、M1、P1、(K5、P5)3回繰り返す、K5、P1、M1、K2、M1、P1、K5、P1、M1、K1、B:K1、M1、P1、A:K1、M1、K2。

段5:A:K1、P3、B:K2、P1、A:P1、K2、P5、K2、P2、K2、(P5、K5)3回繰り返す、P5、K2、P2、K2、P5、K2、P1、B:P1、K2、A:P3、K1。

段6:A:K2、M1、K2、B:P2、M1、K1、A:K1、M1、P2、K5、P2、M1、K2、M1、P2、(K5、P5)3回繰り返す、K5、P2、M1、K2、M1、P2、K5、P2、M1、K1、B:K1、M1、P2、A:K2、M1、K2。

段7:A:K1、P4、B:K3、P1、A: P1、K3、P5、K3、P2、K3、(P5、K5)3回繰り返す、P5、K3、P2、K3、P5、K3、P1、B:P1、K3、A:P4、K1。

段8:A:K2、M1、K3、B:P3、M1、K1、A:K1、M1、P3、K5、P3、M1、K2、M1、P3、(K5、P5)3回繰り返す、K5、P3、M1、K2、M1、P3、K5、P3、M1、K1、B:K1、M1、P3、A:K3、M1、K2。

段9：A：K1、P5、B：K4、P1、A：P1、K4、P5、K4、P2、K4、(P5、K5)3回繰り返す、P5、K4、P2、K4、P5、K4、P1、B：P1、K4、A：P5、K1。

段10：A：K2、M1、K4、B：P4、M1、K1、A：K1、M1、P4、K5、P4、M1、K2、M1、P4、(K5、P5)3回繰り返す、P5、P4、M1、K2、M1、P4、K5、P4、M1、K1、B：K1、M1、P4、A：K4、M1、K2。

段11：A：K1、P6、B: K5、P1、A：P1、K5、P5、K5、P2、K5、(P5、K5)3回繰り返す、P5、K5、P2、K5、P5、K5、P1、B：P1、K5、A：P6、K1。

段12：A：K2、M1、K5、B：P5、M1、K1、A：K1、M1、P5、K5、P5、M1、K2、M1、P5、(K5、P5)3回繰り返す、K5、P5、M1、K2、M1、P5、K5、P5、M1、K1、B：K1、M1、P5、A：K5、M1、K2。

段13：A：K1、P1、K1、P5、B：K5、P2、A：P2、K5、P5、K5、P4、(K5、P5)4回繰り返す、K5、P4、K5、P5、K5、P2、B：P2、K5、A：P5、K1、P1、K1。

段14：A：K2、M1、P1、K5、B：P5、K1、M1、K1、A：K1、M1、K1、P5、K5、P5、K1、M1、K2、M1、K1、(P5、K5)4回繰り返す、P5、K1、M1、K2、M1、K1、P5、K5、P5、K1、M1、K1、B：K1、M1、K1、P5、A：K5、P1、M1、K2。

段15：A：K1、P1、K2、P5、B：K5、P3、A：P3、K5、P5、K5、P6、(K5、P5)4回繰り返す、K5、P6、K5、P5、K5、P3、B：P3、K5、A：P5、K2、P1、K1。

段16：A：K2、M1、P2、K5、B：P5、K2、M1、K1、A：K1、M1、K2、P5、K5、P5、K2、M1、K2、M1、K2、(P5、K5)4回繰り返す、P5、K2、M1、K2、M1、K2、P5、K5、P5、K2、M1、K1、B：K1、M1、K2、P5、A：K5、P2、M1、K2。

段17：A：K1、P1、K3、P5、B：K5、P4、A：P4、K5、P5、K5、P8、(K5、P5)4回繰り返す、K5、P8、K5、P5、K5、P4、B：P4、K5、A：P5、K3、P1、K1。

段18：A：K2、M1、P3、K5、B：P5、K3、M1、K1、A：K1、M1、K3、P5、K5、P5、K3、M1、K2、M1、K3、(P5、K5)4回繰り返す、P5、K3、M1、K2、M1、K3、P5、K5、P5、K3、M1、K1、B：K1、M1、K3、P5、A：K5、P3、M1、K2。

同様に続ける。ここまで来ると、各表段でどのように増し目をするかが分かりやすくなる。
背中心で編み地が8cmになったら、裏に糸が渡らない編込みの方法で、中心の15目でトライアングル模様を編む。

後ろ身頃部分の目数が115(125)目になったら袖を伏せ目または休める。前身頃を編んだら袖はゴム編みでゆるめに伏せ、色Aで5目新たに作り目、後身頃を編み、さらに5目作り目、袖をゴム編みで伏せ、反対の前身頃を編む。編み地が50(55) cmになるまで、または好みの長さまで前後身頃を編む。前端は表段で増し目を続ける。ゴム編みでゆるく伏せ目をする。袖を伸ばす場合は休めた目から拾って編む。

前立てと衿ぐり

色Aを用い、前立てと衿ぐりにそって目を拾いながら編む(5cmに約12目の割合)。ガーター編みで編む。各段の最後の目は1目に2目編み入れて増し目しながら、編み地が2cmになるまで平編みにする。ゆるく伏せ目をする

仕上げ

端糸を始末する。カーペットの上にタオルを広げ、その上にカーディガンを広げる。指定の寸法になるようピン打ちし、ぬれた布をかぶせる。完全に乾燥したらピンを外す。

巻きカーディガン WRAP TOP

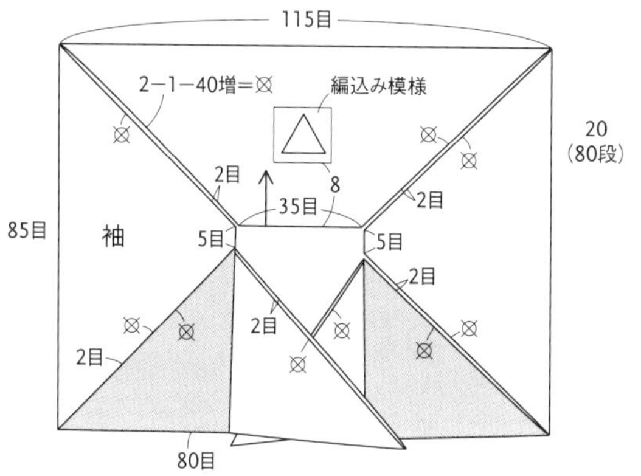

115目
2−1−40増＝⊠
編込み模様
20
（80段）
8
2目
35目
2目
85目
袖
5目
5目
2目
2目
2目
80目

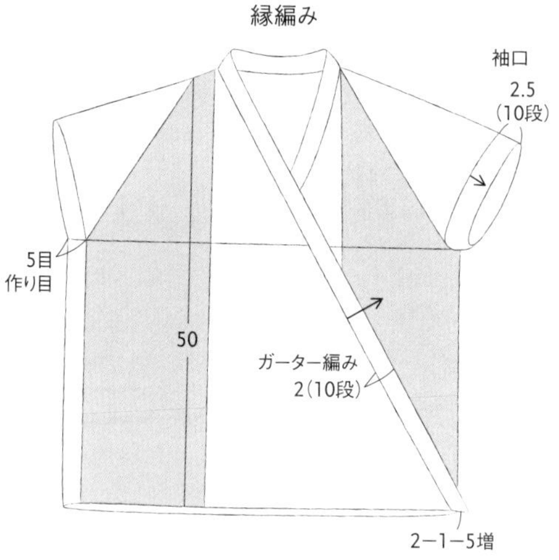

縁編み
袖口
2.5
（10段）
5目
作り目
50
ガーター編み
2（10段）
2−1−5増

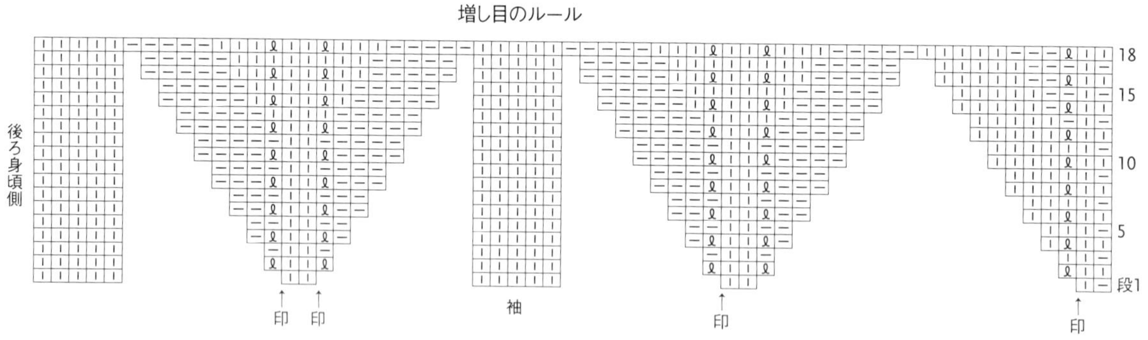

増し目のルール
後ろ身頃側
左前端側
18
15
10
5
段1
印
印
袖
印
印

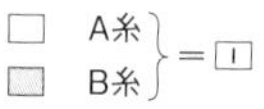

A糸
B糸
＝

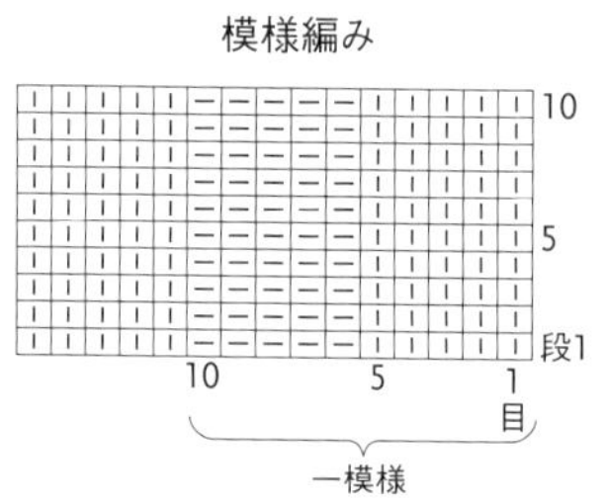

模様編み
10
5
段1
10
5
1
目
一模様

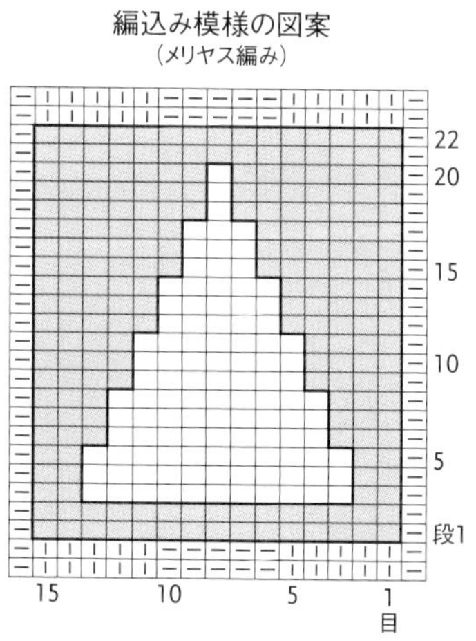

編込み模様の図案
（メリヤス編み）
22
20
15
10
5
段1
15
10
5
1
目

ハニーカーディガン HONEY CARDIGAN p.18

サイズ …… M(L)
寸法 ……… 胸回り 88(98)cm
身頃裾幅 37(42)cm
着丈 48(53)cm(または3cm長く)
袖丈 40(47)cm
ゆき丈 69(72)cm
使用糸 …… Isager Spinni のベージュ(6s)150(200)g
Alpaca 1 のベージュ(2s)100(150)g　各1本の2本どり＝A
Spinniの各色3本どり(例、1s、16、7s、8s、39s、52s)＝B
Bはそれぞれ100～150cmの長さにランダムに切り(それぞれ異なる長さにすること！)
それを3本ずつ使いながら、1色がなくなったら別の糸を足していく
ボタン …… 直径16mmを7個
ゲージ …… 23目38段が10cm四方
使用針 …… 3mm
略語 ……… K＝表編み
P＝裏編み
Sl1 wyif＝糸を編み地の手前に置いたまま、すべり目1目
Sl1 wyab＝糸を編み地の後ろに置いたまま、すべり目1目
K2 tog＝左上2目一度

スワッチ(試し編み)

糸Bで作り目を19目し、1段K。糸Aに替える：
段1：K3 *Sl1 wyab、K5*、*～*を2回繰り返す。最後はSl1 wyab、K3。
注意：裏編みと同じようにすべり目する。
段2：段1と同様。ただし糸を手前に置いてすべり目する。
段1と2を全部で3回編む。糸Bで2段K。糸Aに替える：
段3：K1、*K5、Sl1 wyab*、*～*を2回繰り返す。最後はK6。
段4：K1、*P5、Sl1 wyif*、*～*を2回繰り返す。最後はP5、K1。
段3と4を全部で2回編む。糸Bで2段K。糸Aに替える：
段5：段1と同様に。
段6：K1、P2* Sl1 wyif、P5*、*～*を2回繰り返す。最後はSl1 wyif、P2、K1。
段5と6を全部で2回編む。糸Bで2段K。
段3 以降をもう一度編む。目を伏せる。

カーペットの上に広げたタオルに置く。寸法どおりにピン打ちし、上にぬれた布をかぶせる。完全に乾燥したらピンを外しゲージをはかる。およそ8cm角の正方形になる。

身頃・袖を編む

前後身頃、袖を続けて編む。

◎後ろ身頃裾から開始
糸Bで85(97)目作り目をする。1段K。糸Aに替える：

段1(表面)：K3、*Sl1 wyab、K5*、*～*を13(15)回繰り返す。最後はSl1 wyab、K3。
段2：段1と同様。ただし糸を手前に置いてすべり目する。
段1と2を全部で3回編む。糸Bで2段K。糸Aに替える：
段3：K1、* K5、Sl1 wyab*、*～*を13(15)回繰り返す。最後はK6。
段4：K1、* P5、Sl1 wyif*、*～*を13(15)回繰り返す。最後はP5、K1。
段3と4を全部で2回編む。糸Bで2段K。糸Aに替え：
段5：段1と同様。

段6：K1、P2、* Sl1 wyif、P5*、*〜*を13（15）回繰り返す。最後はSl1 wyif、P2、K1。
段5と6を全部で2回編む。糸Bで2段K。
段3 以降をもう一度編む。

ジャケットの丈は49（55）cmとなる。長くするには、はちの巣模様を2つ=3cm追加する。最後は糸Bで2段Kで終える。

脇下が好みの長さになったら、9（12）段ごとに増し目をする（K1、M1、最後の目まで編み、M1、K1）。
増し目をして目が増えても、はちの巣模様の数は変わらない。

両側それぞれ8目ずつ増やすと、はちの巣模様が16（20）段でき上がる。最後は糸Bで2段Kで終える。

◎袖の増し目
各段の終わりで6（8）目作り目をし、これを全部で15回繰り返す=両側90（120）目。両側の5目ずつはガーター編みにする。
注意：表段の最初の目は必ず糸Aと糸Bを一緒に編む。

これまでと同様、ジャケットの中央ではちの巣模様を編み、脇や袖はストライプに編む。

はちの巣模様の段を13（14）回編んだら、袖は78（84）段となる。最後は糸Bで2段Kで終える。
中央の31目をほつれ止めに移し、両側別々に編む。
編み地の両側（袖の位置）にマーカーを入れる。

◎右身頃
糸Aで編む。段の終りのほつれ止めの脇で10目新たに作り目をする（前）。これらの目はガーター編みで編み進め（はちの巣模様にはしない）。その内側で6段ごとに増し目をする。はちの巣模様は肩の目の部分のみで編む。

と同時に袖の反対側を編み終わったら,伏せ目を開始する（マーカーが中央にくる）。1段おきに6目（8）ずつ、合計90（120）目伏せ目する、続いて9（12）段ごとに1目ずつ減らすことを8回繰り返す。

前端は、全部で15目増し目したら、増減なしに編みながらボタンホールにとりかかる：糸B2段のあと糸Aで2段編み、次の段で端目10目を編む：K4、K2 tog、K4。次の段で伏せ目の部分に2目新たに作り目をする。12段ごとにボタンホールを編む（ストライプ2つごと）。

前後身頃が同じ長さになったら、最後は裏側で一段K、伏せ目をする。

◎左身頃
右前身頃と同様に、ボタンホールなしで編む。

衿

後ろ衿の31目を針に戻し、前身頃の端から10目ずつ拾う。糸Bを用い（最初の目は必ず糸Aと糸Bを一緒に編むことに注意）K9、前身頃の最後の目と後ろ身頃の最初の目を2目一度、裏返してK10。このように10目をガーターで編みながら後ろ衿ぐりの目と2目一度を、衿の目をすべて編み終えるまで繰り返す。糸Bで2段、糸Aで4段を繰り返す。最後に糸Bで2段編む。後ろ衿ぐりの目がなくなったら反対側の衿とガーターはぎをする。

仕上げ

端糸を始末し、カーペットの上に広げたタオルに置く。寸法どおりにピン打ちし、上にぬれた布をかぶせる。完全に乾燥したらピンを外す。袖と脇を表側からすくいとじする。
ボタンを縫いつける。

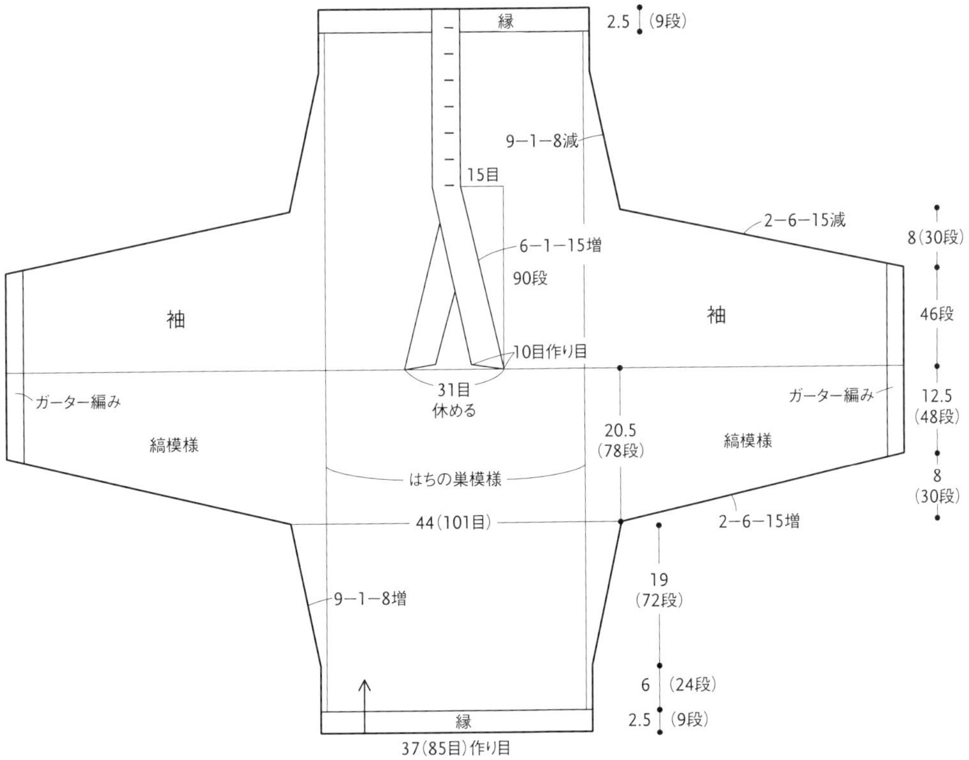
縁
2.5 (9段)
9−1−8減
15目
2−6−15減
8(30段)
6−1−15増
90段
46段
袖
袖
10目作り目
31目
休める
12.5
(48段)
ガーター編み
ガーター編み
20.5
(78段)
縞模様
縞模様
はちの巣模様
8
(30段)
44(101目)
2−6−15増
19
(72段)
9−1−8増
6 (24段)
縁
2.5 (9段)
37(85目)作り目

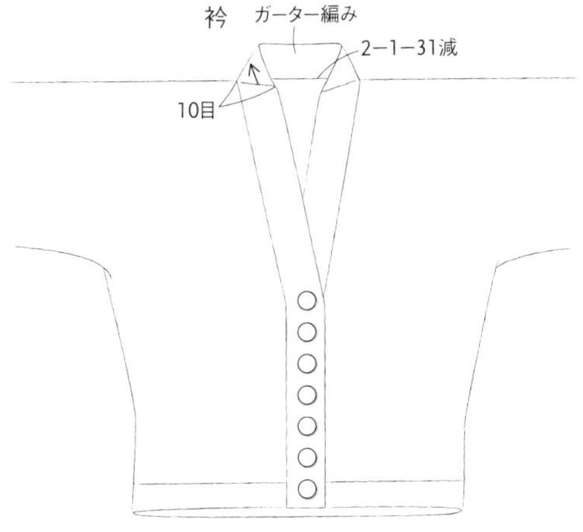
衿 ガーター編み
2−1−31減
10目

スワッチ・はちの巣模様

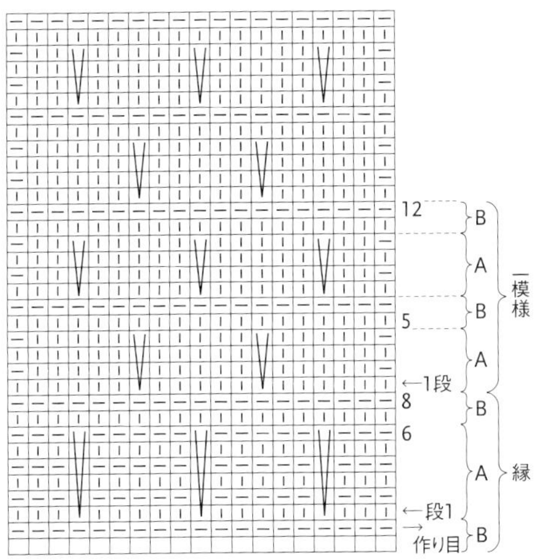
12
B
A
一模様
5
B
A
←1段
8
B
6
A
縁
←段1
→作り目
B

衿

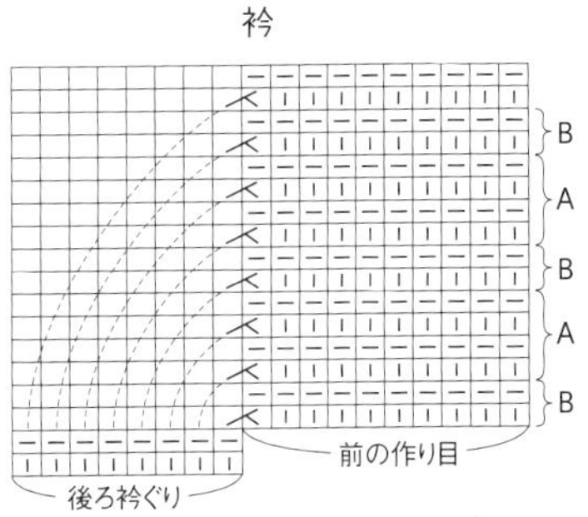
B
A
B
A
B
前の作り目
後ろ衿ぐり

ボタン穴

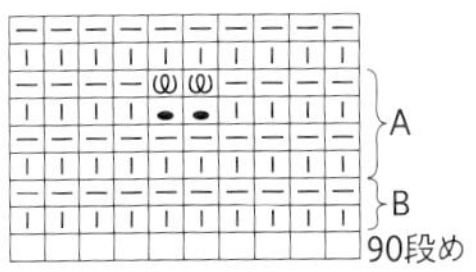
A
B
90段め

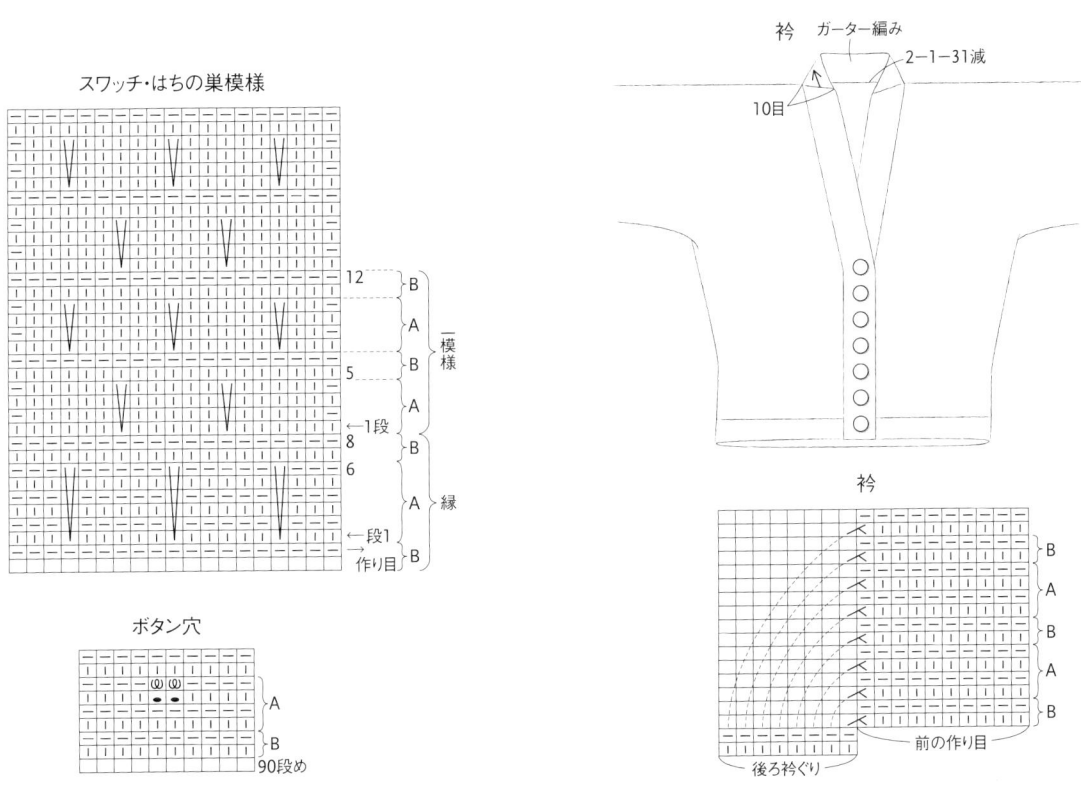

トーキョーショール TOKYO SHAWL p.22

寸法 ……… 64×166cm
使用糸 …… Isager Alpaca 1の生成り(0)200g＝メインカラー
Spinniの濃いグレー(23s)、茶色(13s)、ブルー(10s)、薄茶色(7s)、ベージュ(6s)各50g、
濃いピンク(52s)、サーモンピンク(39s)、黄色(29s)各15g
ゲージ …… メリヤス編み22目28段、ジグザグ模様25目28段が10cm四方
使用針 …… 4mm
略語 ……… K＝表編み
P＝裏編み
K2 tog＝左上2目一度
K2 tog tbl＝2目の後ろのループを編む(右上2目一度になる)
yo＝かけ目

Spinniの濃いグレーとAlpaca 1の2本どりで160目作り目をする。1段K。
段1:*K20、K2 tog、K48、yo*、*〜*を繰り返し、最後はK20で終える。
段2:K。
段1と2を繰り返す＝ガーター編みの畝が3つできる。
段3:段1と同様に編む。
段4:K3、最後の3目までP、K3。
段3と4を10回繰り返し、段3をもう一度編み、全部で21段。濃いグレーをブルーに替える。
段5:*K20、yo、K48、K2 tog tbl*、*〜*を繰り返し、最後はK20で終える。
段6:段4と同様に編む。
段5と6を10回繰り返し、段5をもう一度編み、全部で21段。
ブルーをサーモンピンクに替える。
段3と4を2回繰り返し、サーモンピンクを茶色に替える。

以下、別表のように続け、好みの長さまで編む。

端糸を始末し、カーペットの上にタオルを広げ、
その上にショールを広げる。
指定の寸法になるようピン打ちし、ぬれた布をかぶせる。
完全に乾燥したらピンを外す。

Spinniの配色と段数

色	ベースの編み地	段数
29s	メリヤス編み	4
6s	裏メリヤス編み	21
13s	メリヤス編み	21
39s	裏メリヤス編み	4
7s	メリヤス編み	21
10s	裏メリヤス編み	21
52s	メリヤス編み	4
23s	裏メリヤス編み	21
6s	メリヤス編み	21
29s	裏メリヤス編み	4
7s	メリヤス編み	21
13s	裏メリヤス編み	21
39s	メリヤス編み	4
10s	裏メリヤス編み	21
23s	メリヤス編み	21
23s	ガーター編み	6

230段 これを繰り返す

※編み地はメリヤス編みと
裏メリヤス編みを交互に編む

模様編み

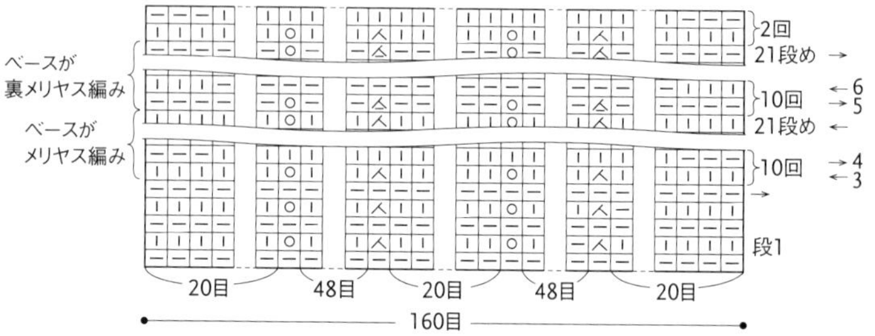

コサックカーディガン COSSACK CARDIGAN p.24

サイズ …… S(M) L
寸法 ……… 胸回り 84(92)100cm
着丈 59(62)65cm
アームホール下の袖の長さ(15cmの袖口も含む)47(49)51cm
使用糸 …… Isager Palet(Dunes)400(400)450g
Alpaca 1 の薄茶(7s)150(150) 150g
Silk Mohair のピーチ(6)50g
PaletとAlpaca 1は2本どりで編むため、同系色が好ましい
ボタン …… 直径15mmを9~10個
ゲージ …… 2目ゴム編みをやや広げぎみで23目30段が10cm四方
使用針 …… 3.5、4 mm、袖は短い輪針または短針を用いる
略語 ……… K＝表編み
P＝裏編み
M＝ねじり増し目
Sl1 wyif＝糸を手前に置き、裏編みの要領ですべり目1目
Sl1 wyab＝糸を後ろに置いたまま、裏編みの要領ですべり目1目

この編み方は、身頃の裾までまっすぐに編みながら、増し目は糸替えによって、またゴム編みの目数を増やして行なわれます。ゴム編みは伸縮性が高いため、編上りは着用時よりかなり細く見えます。今回は2目ゴム編みを基本に、裾では2×3のゴム編み(3目裏編み)を用いています。スワッチを編む際には、目数を数えるのにどれくらい広げたらよいか判断するのが難しいと思います。シンプルな答えとしては、自分が着用したときにどれくらい伸ばした感じにしたいかで決めたらよい、ということです。

スワッチ(試し編み)

Plant FiberとAlpaca 1の2本どりで編む。裾はAlpaca 1とSilk Mohairの2本どりに替える。

3.5 mmの輪針で22目作り目をし、次のように編む:
段1(裏段):Sl2 wyif、*K2、P2*、*~*を最後の2目まで繰り返し、P1、K1。
段2:Sl1 wyif、Sl1 wyab、*P2、K2*、*~*を繰り返す。
段1と2を編み地が6〜7cmになるまで繰り返す。

次の裏段で、ゴム編みの中央で増し目をする:
Sl2 wyif、*K1、M1、K1、P2*、*~*を最後の2目まで繰り返し、P1、K1。
この段まで完成した時点で、針には27目かかっている。4mmの針に持ち替える。

Alpaca 1とSilk Mohairに糸を替え、両端の目は同様に編みながら、ゴム編みを続ける:K2、P3。
次の段:(K3、P2)を繰り返す。
約6cmになったら、表側からゴム編みで伏せ目する。

身頃(トップダウンで編む)

Plant FiberとAlpaca 1を用い、52目作り目をする。
セットアップ段(裏段):K1、P2(この2目に安全ピンで印をつける)、K2、P2、K2、P2(同様に印をつける)、(K2、P2)×7回、K2、P2(同様に印をつける)、K2、P2、K2、P2(同様に印をつける)、K1。
この時点で:表目1、印がついた目2、ゴム編み6目＝片側の肩、印がついた目2、ゴム編み30目＝後ろ身頃、印がついた目2、ゴム編み6目＝もう片方の肩、印がついた目2、表目1。＝52目

段1(表段):M1、P1、M1、K2、M1、ゴム編み6目、M1、K2、M1、ゴム編み30目、M1、K2、M1、ゴム編み6目、M1、K2、M1、P1、M1。8目が増目される。
段2(裏段):前段で増やした目も含め、ゴム編みで編む(印をつけた目は必ずメリヤス編みにする＝表段でK、裏段でP)。
平編みで続けながら、印をつけた2目の両側で表段ごとに増し目をする。

と同時に、また表段の両端で、1目を7回、続けて2目を2回、3目を1回、4目を1回増し目する(両前身頃のネックラインになる)。これらの目はゴム編みに繰り入れる。
それぞれ18目ずつ増し目されたら(最後の4目の増し目は表段で)、これより前端はまっすぐに編む。最初の2目は以下のようにすべり目する:各段とも最初の目はすべらせ、次の目は表段では糸を後ろにした状態で、裏段では糸を手前に置いてすべらせる。

2cm編んだら最初のボタンホールを編む。表段の最後の6目まで編み、yo、P2 tog、K4。4cmおきにボタンホールを作る。

後ろ身頃が84(94)104目になったら、アームホール位置で新規に12目 作り目し、袖の目をほつれ止めに移す。この状態で、裾の15cmを編む手前まで平編みを続ける。
これ以降はボタンホールは作らない。
裏段を1段編みながら、ゴム編みの裏メリヤス部分(裏から見ると表編みの部分)の中央でM1を繰り返す。糸をAlpaca 1とSilk Mohairに持ち替え、(K2、P3)のゴム編みを15cm編む。この際、編み地の両端ですべり目を続ける。ゴム編みで伏せ目する。

袖

袖の目を針に戻し、脇の作り目部分から12目を拾いながら編む。脇の中心の2目に印をつけ、輪にしてゴム編みを続ける。8(6)5段ごとに印をつけた2目の両側で1目ずつ減目する(マーカーの前は右上2目一度、マーカーの後は左上2目一度)。48目まで減目する。
袖口の15cmを残す位置までまっすぐ編む。
袖は最初は輪針でスタートするが、目が少なくなってきたら短針に切り替える。身頃と同様に袖口を15cm編み、ゴム編みで伏せ目する。

メモ:袖は平編みし、最後すくいとじをしてもよい。これには、両サイドで1目ずつ余計に作り目し、両端目を毎段ガーター編みにする。
減目は両サイドから2目内側で行なう。平編みをする場合、Lサイズの減目は4段ごとと6段ごとの交互に行なうのが簡単。

仕上げ

編み地をつぶさないよう、スチームを当てて整える。

ネックラインにそってAlpaca1とSilk Mohairの2本どりで拾いながら編み(1目につき1目)、6段メリヤス編みで編む。伏せ目をし、ボタンをつける。

ヨーク 2目ゴム編み

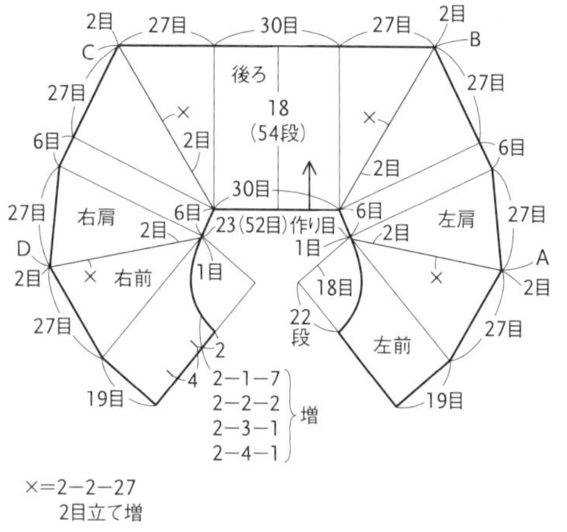

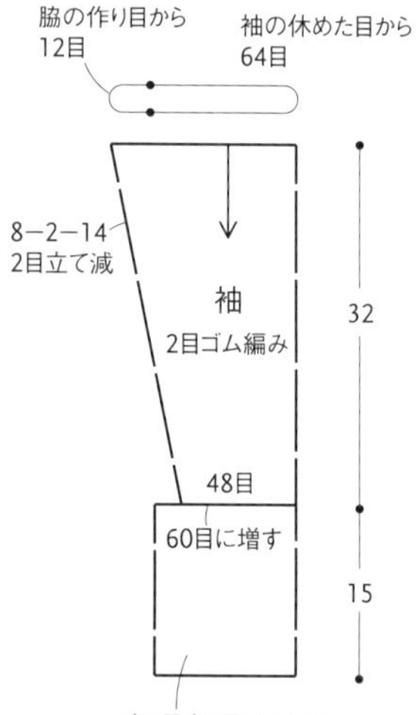

コサックカーディガン COSSACK CARDIGAN

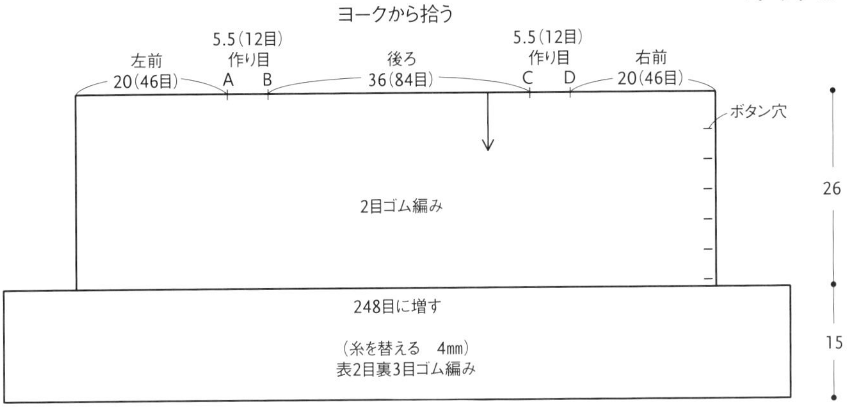

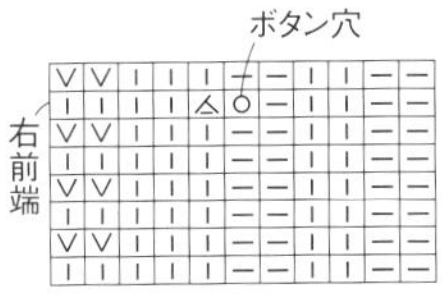

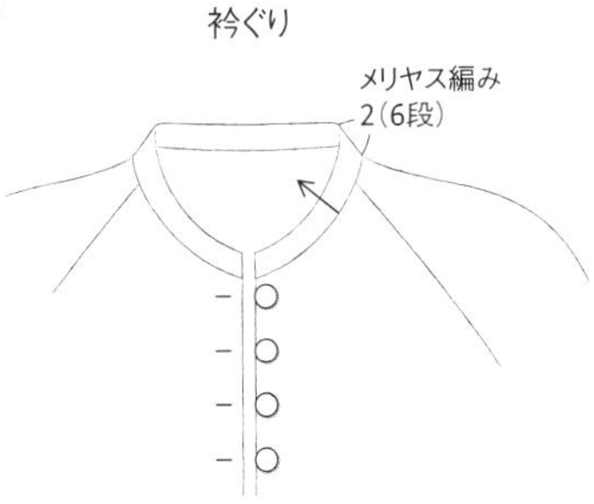

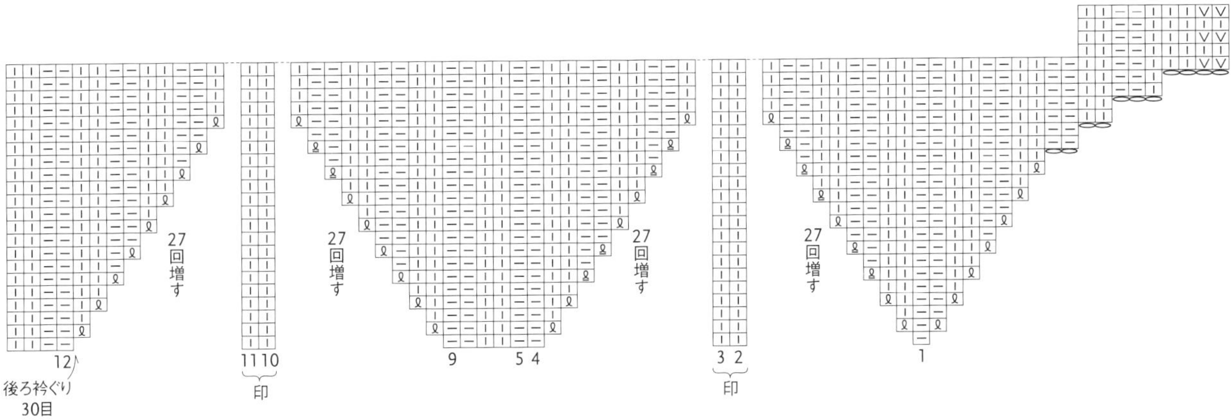

ドミノスカート DOMINO SKIRT p.30

サイズ …… S(M)L
寸法 ……… ウエスト 80(90) 110cm = 10×8(9) 10cm
裾の周囲 100(110) 120 cm = 10×10(11) 12 cm
長さ/丈 38(47) 53cm = 7+ 9+ 9+ 9+ 4 (9+11+11+11+5) 11+13+13+13+ 6cm
使用糸 …… リッチモア パーセント〈グラデーション〉の茶系(217)を240(280) 320g
付属品 …… ゴムテープ幅2cm長さ90(100) 120 cm
ゲージ …… ドミノ模様で27目が10cm
使用針 …… 3.5mm
略語 ……… K = 表編み
P = 裏編み
M = ねじり増し目
K2 tog = 左上2目一度
K3 tog tbl = 右上3目一度(後ろ側のループ(tbl)から3目一度)

このスカートでは、最初に三角形を編んで裾の直線を作ります。ウエスト側も同様に三角形で終え、ウエストバンドの目を拾えるようにしています。

スワッチ（試し編み）

◎トライアングル1＝裾の三角形
3目作り目をする。K3、裏返す。
K1、M1、K1、M1、K1、裏返す。K5、裏返す。
K1、M1、K1、M1、K1、M1、K1、M1、K1、裏返す。K9、裏返す。
K1、M1、K3、M1、K1、M1、K3、M1、K1、裏返す。K13、裏返す。
K1、M1、K5、M1、K1、M1、K5、M1、K1、裏返す。K17、裏返す。
K1、M1、K7、M1、K1、M1、K7、M1、K1、裏返す。K21、裏返す。
K1、M1、K9、M1、K1、M1、K9、M1、K1、裏返す。K25、裏返す。
12目を伏せる（この試し編みとトライアングル91のみ。スカートを編む際には、この12目はほつれ止めに取って休める）。

◎スクエア2
トライアングル1の残りの13目をK、続けて新しく12目を作り目する。裏返し、この25目をK。
K11、K3 tog tbl、K11、裏返す。K1、P21、K1、裏返す。
K10、K3 tog tbl、K10、裏返す。K21、裏返す。
K9、K3 tog tbl、K9、裏返す。K1、P17、K1、裏返す。
K8、K3 tog tbl、K8、裏返す。K17、裏返す。
K7、K3 tog tbl、K7、裏返す。K1、P13、K1、裏返す。
K6、K3 tog tbl、K6、裏返す。K13、裏返す。
K5、K3 tog tbl、K5、裏返す。K1、P9、K1、裏返す。
K4、K3 tog tbl、K4、裏返す。K9、裏返す。
K3、K3 tog tbl、K3、裏返す。K1、P5、K1、裏返す。
K2、K3 tog tbl、K2、裏返す。K5、裏返す。
K1、K3 tog tbl、K1、裏返す。K1、P1、K1、裏返す。K3 tog tbl。

◎トライアングル3＝上辺の三角形
スクエア2で残った1目に加え、続けて1辺から12目拾いながら編む＝13目。スクエア2と同様に12目新たに作り目をする。裏返し、この25目をK。
K2 tog、K9、K3 tog tbl、K11、裏返す。K2 tog、K20、裏返す。
K2 tog、K7、K3 tog tbl、K9、裏返す。K2 tog、K16、裏返す。
K2 tog、K5、K3 tog tbl、K7、裏返す。K2 tog、K12、裏返す。
K2 tog、K3、K3 tog tbl、K5、裏返す。K2 tog、K8、裏返す。
K2 tog、K1、K3 tog tbl、K3、裏返す。K2 tog、K4、裏返す。
K1、K3 tog tbl、K1、裏返す。K3 tog。

ウエストバンド：トライアングル3の上辺より18目を拾いながら編み、裏返す。メリヤス編みで2cmになるまで編む（両端の1目ずつはガーター編みにする）。裏側で1段K、さらに2cmメリヤス編みをする。すべて伏せ目し、ピンでとめる。スウォッチのスクエア2は対角線が9cmの正方形となる。小さすぎる場合は大きい針に、大きすぎる場合は小さい針に替え、正しいゲージとなるように調節する。

スカートの編み方

番号どおりに編んでいく。

◎トライアングル1＝裾の三角形
3目作り目をする。K3、裏返す。
K1、M1、K1、M1、K1、裏返す。K5、裏返す。
K1、M1、K1、M1、K1、M1、K1、M1、K1、裏返す。K9、裏返す。
K1、M1、K3、M1、K1、M1、K3、M1、K1、裏返す。K13、裏返す。
K1、M1、K5、M1、K1、M1、K5、M1、K1、裏返す。K17、裏返す。
K1、M1、K7、M1、K1、M1、K7、M1、K1、裏返す。K21、裏返す。

K1、M1、K9、M1、K1、M1、K9、M1、K1、裏返す。K25、裏返す。
この要領で25(29)33目になるまで続ける。

最初の12(14)16目をほつれ止めに休める。

◎スクエア2
残りの13(15)17目 をK、続けて新たに12(14)16目を作り目する。裏返してK25(29)33。
K11(13)15、K3 tog tbl、K11(13)15、裏返す。K1、P21(25)29、K1、裏返す。
K10(12)14、K3 tog tbl、K10(12)14、裏返す。K21(25)29、裏返す。
K9(11)13、K3 tog tbl、K9(11)13、裏返す。K1、P17(21)25、K1、裏返す。
K8(10)12、K3 tog tbl、K8(10)12、裏返す。K17(21)25、裏返す。
同様に続け、最後の3段は以下のように編む。
K1、K3 tog tbl、K1、裏返す。
K1、P1、K1、裏返す。K3 tog tbl。

◎スクエア3、4、5、6、7はスクエア2と同様に編む。前に完成したスクエアから13(15)17目を拾いながら編み、12(14)16目新たに作り目をしてスタートする。

◎スクエア8と9 は11(13)15目を拾い、10(12)14目新たに作り目する。

◎トライアングル10= 上辺の三角形
スクエア9の1辺から11(13)15目拾い、続けて10(12)14目新たに作り目する。
裏返してK21(25)29。
スウォッチを編んだ時と同様、表段では中央でK3 tog tblを編み、毎段の最初でK2 togをする。
最後は以下のように編む。
K2 tog、K1、K3 tog tbl、K3、裏返してK2 tog、K4、
裏返してK1、K3 tog tbl、K1、裏返してK3 tog。

◎トライアングル11はトライアングル1と同様に編む。トライアングル21〜91もトライアングル1と同様に編む(91は最初の12(14)16目を伏せ目)。

◎スクエア12はスクエア2と同様に編むが、新たに作り目をする代りにトライアングル1の側面から12(14)16目拾って編む(図を参照)。これよりすべてのスクエアについて同様に編む。

スクエア8〜98の段も、スクエア8や9と同様に編む。
上辺の三角形もトライアングル10と同様に編む。

100個すべてのスクエアとトライアングルが編み終わったら、カーペットの上にタオルを広げ、その上にスカートを広げる。 指定の寸法になるようピン打ちし、ぬれた布をかぶせる。完全に乾燥したらピンを外す。
表を手前にし、スカートをすくいとじではぐ(スクエア99をトライアングル10とはぐ、など)。継ぎ目に優しくスチームをあてる。

ウエストバンド

スカートの上辺より140(180)220目を拾いながら編み、裏返す。
メリヤス編みで2cmになるまで編む(両端の1目ずつはガーター編みにする)。裏側で1段K、さらに2cmメリヤス編みをする。 すべて伏せ目する。
ウエスト用のゴムテープを好みの長さに切り、両端を縫って輪にする。 スカートのウエスト部分にゴムテープを入れ、上端を裏側に折り返してまつる。

ドミノスカート DOMINO SKIRT

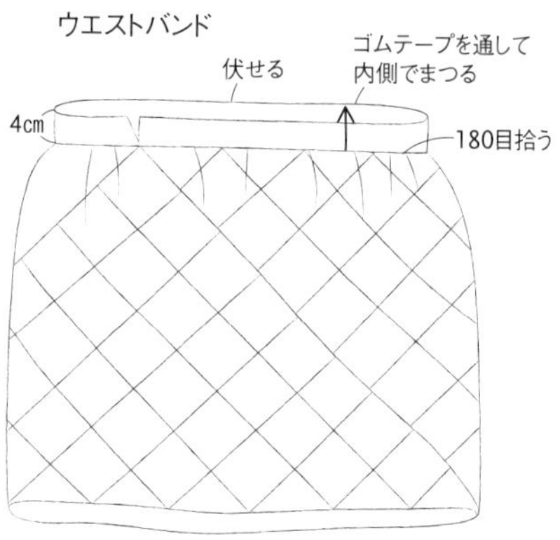

トライアングル1
1、11、21、31、41、51、61、71、81、91

スクエア2
2〜7、12〜17、22〜27、32〜37、42〜47、
52〜57、62〜67、72〜77、82〜87、92〜97

スクエア3
8、9、18、19、28、29、38、39、48、49、
58、59、68、69、78、79、88、89、98、99

トライアングル4
10、20、30、40、50、60、70、80、90、100

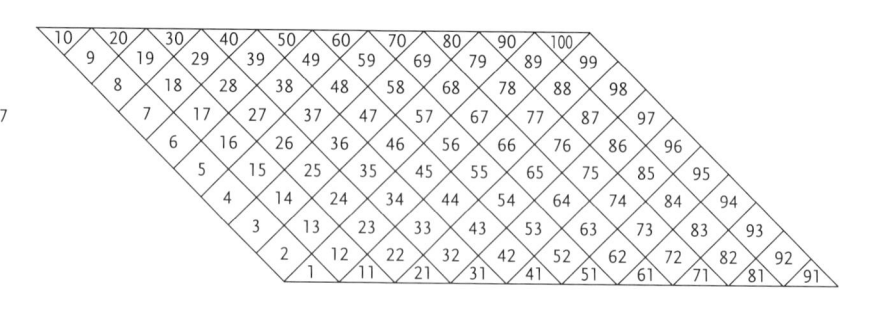

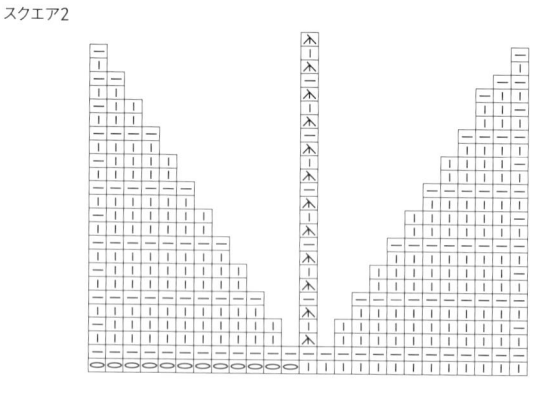

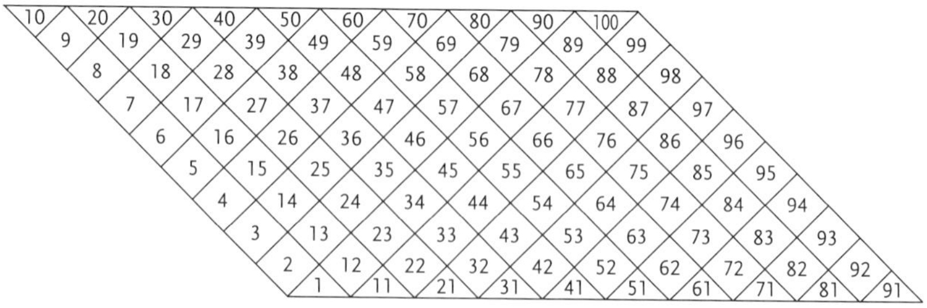

トライアングル1

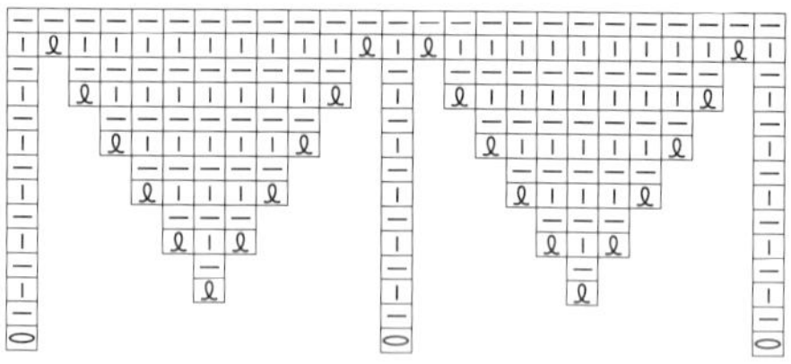

スクエア2

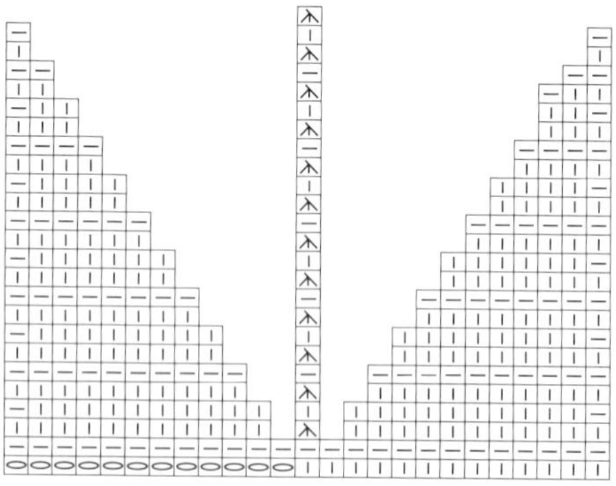

スクエア3

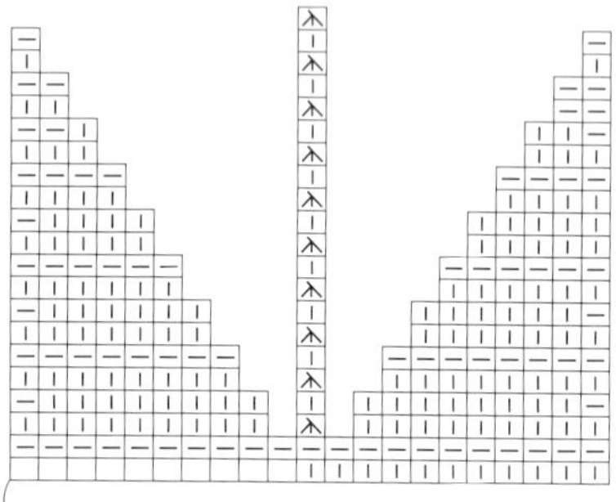

作り目または拾い目

ベルト

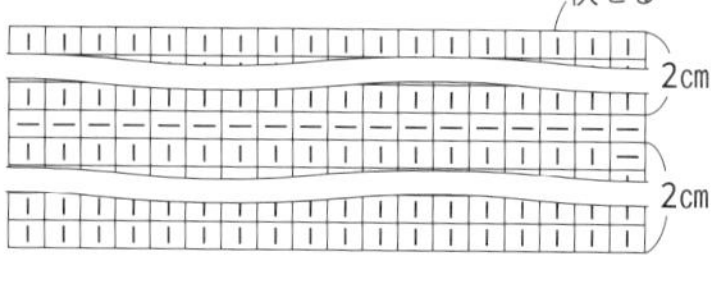

トライアングル4

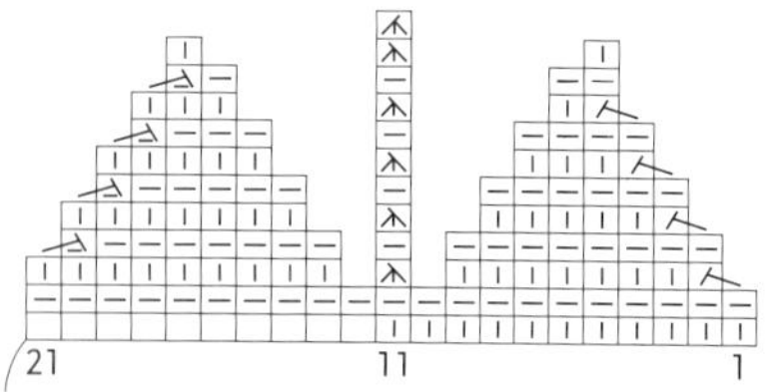

作り目または拾い目

トライアングル3
（スワッチ）

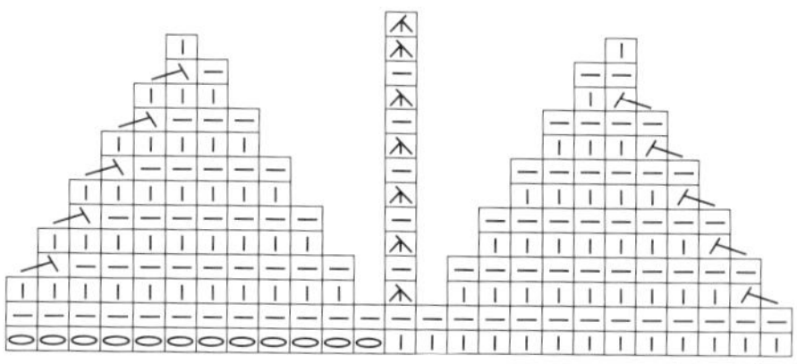

パッチワークセーター PATCHWORK SWEATER p.33

寸法 ……… 胸回り 126cm
着丈 58cm
袖丈 40cm、または好みの長さ
使用糸 …… Isager Spinni のオールドローズ(52s)150g＝袖、裾そしてスクエアに使う
Spinniの配色糸(3、10s、23s、58、59など)各50g＝上記52sとともにスクエアのメインカラーとなる
Spinniのアクセントカラー(1s、25s、39sなど)各10g＝アクセントとして2段ずつ使う
ゲージ …… 26目52段が10cm四方。ガーター編みのみは24目が10cm。スクエアは9×9cm
使用針 …… 3mm
略語 ……… K＝表編み
P＝裏編み
Sl1 wyab＝糸を後ろに置いたまま、裏編みの要領ですべり目1目
K2 tog＝左上2目一度
yo＝かけ目

スクエアの編み方

すべてのスクエアはガーター編みにする。例外は編みながらつなぐ場合。スクエア4、5、6、11、12、13、14、15、21、22、23、24、25、30、31、32、35では、まず表編みをし、次の目を糸を編み地の後ろに置いて1目すべり目(別なスクエアから)し、裏返し、K2 tog、最後までK。この方法により、表側から見ると色が混じってしまうのを避けられる。

後身頃

◎スクエア1
2色糸を選び、そのうちの1つで作り目を24目する。図のとおりストライプでスクエアを編む。表編み2段でガーターの畝が1つ。畝が24できたらスクエア2へ進む。

◎スクエア2
メインカラー2つとアクセントカラー2つを選ぶ。メインカラーの1つで、既に針にかかる24目に続けて作り目を24目する。K23、K2 tog(スクエア2とスクエア1から1目ずつ)。 裏返しすべてK。スクエア2をストライプに編む。最後は表段をK。

◎スクエア3
メインカラー1つとアクセントカラー2つを選ぶ。メインカラーでスクエア1の辺から24目を拾いながら編み、残りのストライプも図のように編む。 畝が24個できたらスクエア4に進む。

◎スクエア4
メインカラー3つを選び、そのうちの1色でスクエア3に続き作り目を24目する。 K24、Sl1 wyab、裏返し、K2 tog(スクエア4とスクエア3から1目ずつ)。すべてK。 3畝ごとに色を替え、24畝編む。糸を切る。

◎スクエア5
3色糸を選び、スクエア3の上辺から24目を拾いながら編む。 表側を手前にして結び目から1目を拾いながら編む。 スクエア5をスクエア4と同様に編み、24畝編んだら糸を切る。

◎スクエア6
2色糸を選ぶ。スクエア2の上辺から目を拾い、図のとおり24畝編む。このスクエアは他のスクエアと2目一度はしない。

◎スクエア7はスクエア2と同様に、ただしストライプの色などを変えて編む。

◎スクエア8
メインカラー1つとアクセントカラー2つ選ぶ。スクエア6の辺から23目拾いながら編み、K2 tog(スクエア6の拾い目とスクエア5から1目ずつ)。

◎スクエア9はスクエア8と同様に、ただしストライプの色などは変えて編む。

◎スクエア11、12、13、14、15はスクエア4、5、6と同様に、ただしストライプの色などを変えて編む。
スクエア15の目をほつれ止めに移す。

◎スクエア16、17、18、19、20はスクエア8、9、10と同様に編む。

◎スクエア21〜25はスクエア11〜15と同様に編む。

スクエア25の目をほつれ止めに移す。

◎スクエア26〜29 は スクエア16〜19と同様に編む。
スクエア29の目を伏せる。

◎スクエア30〜32はスクエア23〜25と同様に編む。
スクエア32をほつれ止めに移す。

◎スクエア33と34で最後となる(表段)。
スクエア34の目を伏せる。

スクエア35は身頃の最後のスクエアで、スクエア33(裏段)と2目一度する。
目をほつれ止めに移す。もう1枚の身頃も同様に編む。

ヨーク、裾、両袖

◎後ろヨーク
後ろ身頃の7スクエアにそって目を拾いながら編む。次の段で150目に減目する(メインの色でガーターの畝が1つ出来る)。

肩の引返し：段の終りから3目までK、裏返し、yo。段の終りから3目までK、裏返し、yo。段の終りから6目までK(かけ目は数えない)、裏返し、yo。段の終りから6目までK。同様に、前段より3目手前で引き返し、14×3目=42目が両側に残るまで続ける、ガーター編みの畝は15個できる。段消しをしながら1段K。目をほつれ止めに移す。

◎前ヨーク
後ろと同様に目を拾い、2段編んだ後で同様に引返し編みをする。 ガーター編みの畝が3つできた時点で、衿側の引返しを開始する。中央の24目をほつれ止めに移す。表側を手前にして中央までK、裏返し、yo。すべてK。次の段では中央より6目手前までK、裏返し、yo、すべてK 。引返し編みを繰り返し、中央より4、2、2、2、2目、そして1目×5回引き返す。このときyoは1目と数えない。全部でガーター編みの畝を15個編んだら段消しを1段編み、目をほつれ止めに移す。逆側の肩も同様に編む。

◎肩のはぎ
前後の対応する肩の目42目を2本の針に戻し、中表にして平行に合わせる。 3本めの針で前後から1目ずつ、2目一度をし、編みながら伏せ目をしていく。もう片側も同様に編む。

◎衿ぐり
前後身頃の66目を拾いながら編み、その間から7目拾う。メインカラーの1色でメリヤス編みを6段編み、丸まるように緩く目を伏せる。

◎袖
肩のはぎ目から両側に16cmずつはかって印をつける。16cmから44目を拾いながら編む=合計88目。肩中央の2目に印をつける。 平らにガーター編みをしながら、10段おきに肩中央2目の両側で1目ずつ減目をする。 14目ずつ、合計28目減目をしたら、ガーター編みで袖が40cm、または好みの長さになるまでまっすぐ編む。色を替えて最後の24畝をストライプに編んでもよい。もう片袖も同様に編むが、最後の袖口のメリヤス編みは色を替える。衿ぐりと同様、丸まるように仕上げてもよい。

◎身頃裾
後ろ身頃の裾から目を拾いながら編む。次の段で150目に減らし、ヨークと同じ色の毛糸で7cmガーター編みをする。
目を伏せる。
前身頃も同様に編む。

◎仕上げ
端糸を始末し、カーペットの上に広げたタオルに置く。寸法どおりにピン打ちし、上にぬれた布をかぶせる。完全に乾燥したらピンを外す。袖下と脇をとじはぎする。袖から開始して脇を続けてとじる。

ヨーク　ガーター編み

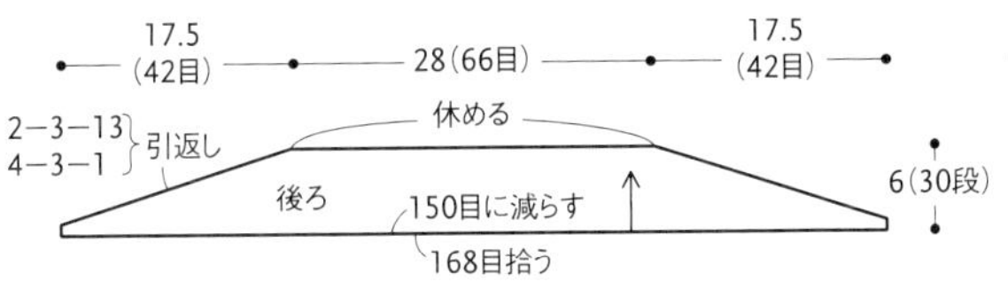

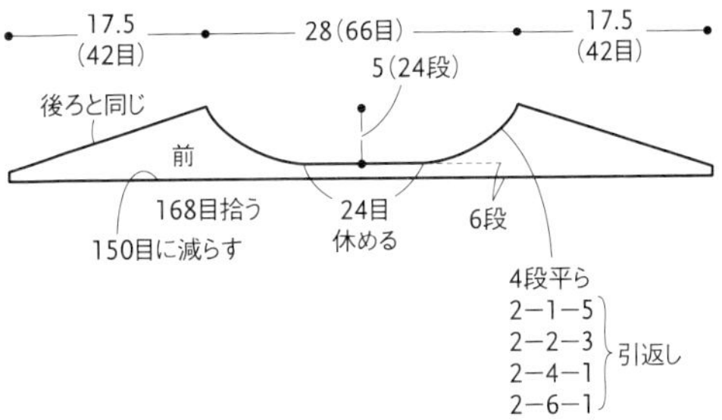

前・後ろ

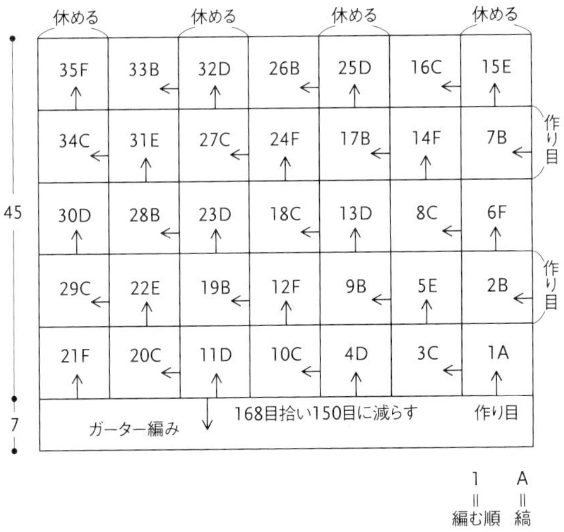

スクエア

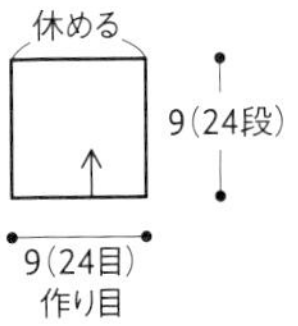

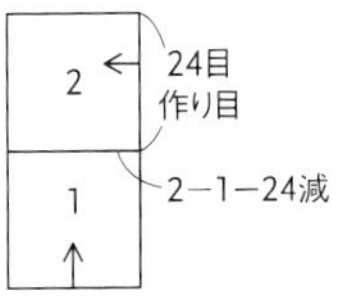

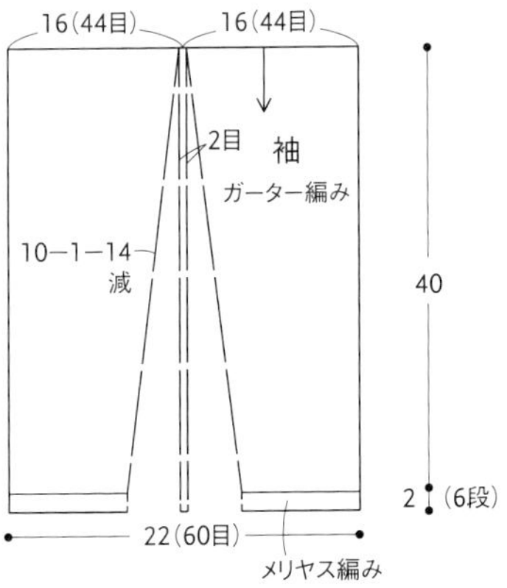

衿ぐり

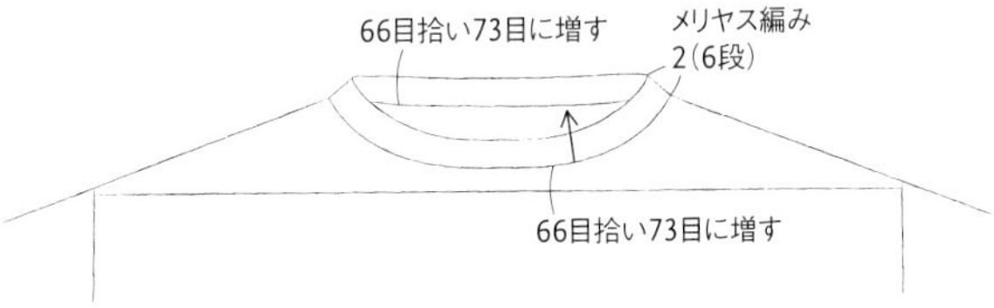

縞の入れ方

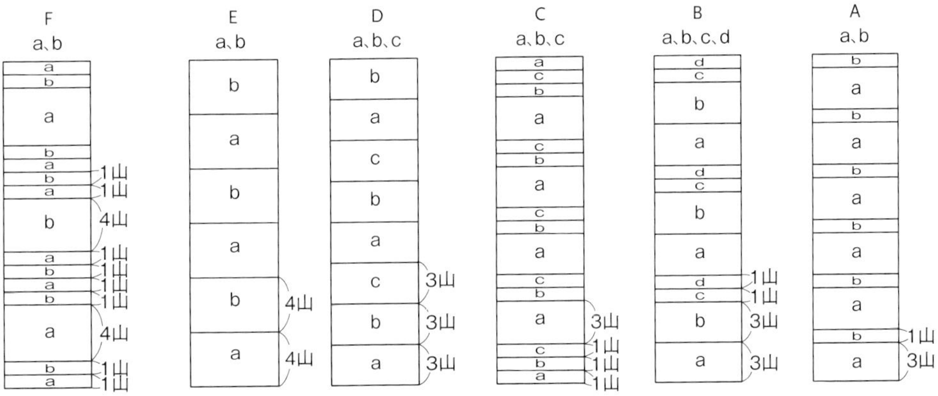

ピーコックポンチョ PEACOCK PONCHO p.26

寸法 ……… 着丈 60cm
首回り 48cm
裾回り 140cm
使用糸 …… リッチモア　ソフアルパカのグレー(11)200g
シルクフィール〈プリント〉の生成り系(101)100g
ゲージ …… ジグザグレースは23目、波模様は26目が10cm
使用針 …… ジグザグレースは4mm、波模様は5mm
略語 ……… K＝表編み
P＝裏編み
K2 tog＝左上2目一度
K2 tog tbl＝2目の後ろループを編む(右上2目一度になる)
M＝ねじり増し目
yo＝かけ目

前後身頃(首回りから編む)

短めの4mmの輪針で16×8目＝128目作り目をする。
ガーター編みの畝が3つできるまで、裏編みと表編みを1段ごとに繰り返す。
段1：*K2 tog、K1、M1、K1、M1、K1、K2 tog tbl、K1*、8目一模様を*〜*16回繰り返す。
段2：K。
段1と2を4〜5cmになるまで繰り返す。
*K47、次の目にマーカーをつける(コーナー)、K15、次の目にマーカーをつける(コーナー)。*以降をもう一度繰り返す。
段3：{*K2 tog、K1、yo、K1、yo、K1、K2tog tbl、K1*、*〜*までを繰り返し、マーカーの7目手前まで編む。*K2 tog、K1、yo、K1、yo、K3、yo、K1、yo、K3、yo、K1、yo、K1、K2 tog tbl、K1 *を2回繰り返す}。{〜}をもう一度繰り返す(コーナーの目の両側でかけ目をし、増し目をする)。
段4：K。
段5：段3と同じだが、マーカーの9目手前まで編み、*〜*を次のように編む。*K2 tog、K1、yo、K1、yo、K5、yo、K1、yo、K5、yo、K1、yo、K1、K2 tog tbl、K1。
段6：K。
段7：*K2 tog、K1、yo、K1、yo、K1、K2 tog tbl、K1*、*〜*までを繰り返す。
段8：K。
段9：段7と同様に編む。
段10：P。
段11：*K3、yo、K1、yo、K4*、*〜*までを繰り返す。
段12：K。
段13：*K2 tog、K2、yo、K1、yo、K2、K2 tog tbl、K1*、*〜*までを繰り返す。
段14：K。
段13と14を全部で5回繰り返すが、最後の段はP。
段15：*K4、yo、K1、yo、K5*、*〜*を繰り返す。
段16：K。
段17：*K2 tog、K3、yo、K1、yo、K3、K2 tog tbl、K1*、*〜*を繰り返す。
段18：K。
段17と18を全部で5回繰り返すが、最後の段はP。
段19：*K5、yo、K1、yo、K6*、*〜*を繰り返す。
段20：K。
段21：*K2 tog、K4、yo、K1、yo、K4、K2 tog tbl、K1*、*〜*を繰り返す。
段22：K。
段21と22を全部で5回繰り返すが、最後の段はP。
段23：*K6、yo、K1、yo、K7*、*から*までを繰り返す。

段24：K。
段25：*K2 tog、K5、yo、K1、yo、K5、K2 tog tbl、K1*、*〜*までを繰り返す。
段26：K。
段25と26を全部で5回繰り返すが、最後の段はP。
段27：*K7、yo、K1、yo、K8*、*〜*を繰り返す。
段28：K。
段29：*K2 tog、K6、yo、K1、yo、K6、K2 tog tbl、K1*、*〜*を繰り返す。
段30：K。
段29と30を全部で5回繰り返すが、最後の段はP。
段29と30をポンチョが約40cmになるまで繰り返す＝360目。
12段おきに裏編みをすることに注意。最後は段30を裏編みして終える。

5mmの針に持ち替え、波模様を編む。

◎波模様

段1：*（K2 tog）3回、（yo、K1）6回、（K2 tog）3回。
段2：K。
段3：段1と同様に編む。
段4：P。
段1から4をポンチョが約60cmになるまで繰り返し、最後は1段K、1段P。表編みで緩く目を伏せる。

端糸を始末し、カーペットの上に広げたタオルに置く。寸法どおりにピン打ちし、上にぬれた布をかぶせる。完全に乾燥したらピンを外す。 または、裏から優しくスチームを当てて形を整える。

脇の増し目

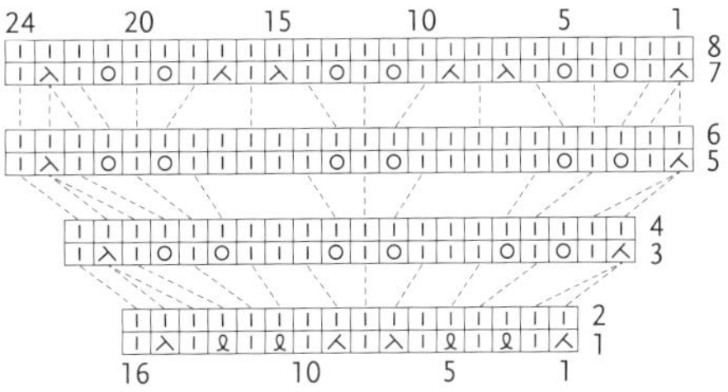

前後

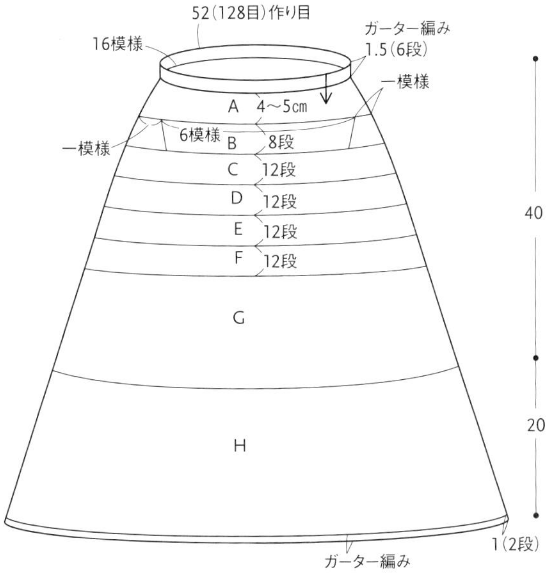

模様編み

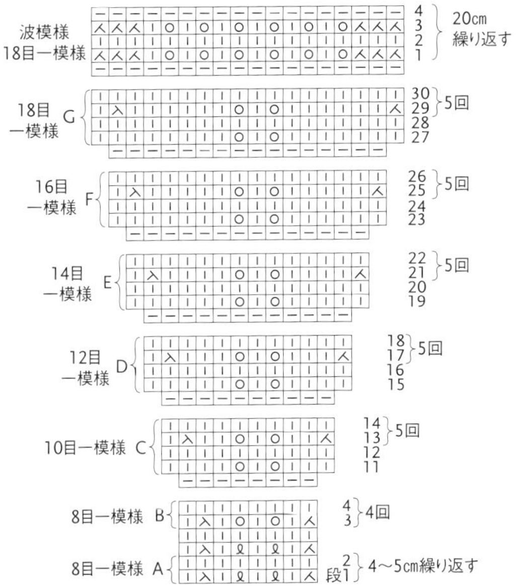

リトルセーター LITTLE SWEATER p.28

サイズ …… M (L)
寸法 ……… 胸回り 100 (110) cm
着丈 50 (55) cm
袖丈(アームホールから下) 33 (35) cm、または好みの長さ
使用糸 …… リッチモア キャメルツイードのこげ茶(7) 150 (200) g = A
ソフシルクモヘアのこげ茶(9) 150 (200) g = B
シルクフィール〈プリント〉の金茶系(102) 60 g = C
ゲージ …… 裏メリヤス編みは17目26段、ガーター編みは22目40段が10cm四方
使用針 …… 裏メリヤス編みは4.5 mm、ガーター編みは3 mm
略語 ……… K = 表編み
P = 裏編み
K2 tog = 左上2目一度
PM = マーカーを入れる
BO = 伏せ目
P2 tog = 裏編みの左上2目一度
M = ねじり増し目

前後身頃(裾から編む)

糸Aで260 (280)目作り目をし、輪にしてガーター編みで3 cm編む(表編み、裏編みを1段おきに編む)。
(K3、K2 tog) × 5 (6)回、(K2、K2 tog) × 20回、(K3、K2 tog) × 5 (6)回、*〜*をもう一度繰り返す。
200 (216)目となる(=およそ4目ごとにK2 tog)。
次の段: K。

これより裏メリヤスで編む:
段1 : 糸BでP。
段2 : 糸3本どりでP。
段3 : 糸CでP。
段4 : 糸AでP。
段5 : 糸BとCでP。

と同時に、6段編んだら分散減目をする。
減目段 : *P23 (25)、P2 tog、PM*、*〜*を8回繰り返す(8目減目)。

12段編む。
減目段 : マーカーの手前でP2 togを8回繰り返す(8目減目)。
上記2行をあと2回繰り返す。全部で32目減目され、針には168 (184)目が残る。

次の段でマーカーを外す。
編み地が32 (35) cm、または好みの長さになるまで編む。
次の段 : PM、P84 (92)、PM、段の終りまでP。
次の段 : BO5、P74 (82)、BO10、P74 (82)、BO5。
身頃の目を休めておく。

袖

袖は輪編みでも平編みでもよい。
糸Aで75 (81)目作り目し、輪にしてガーター編みを3 cm編む(K、Pを1段おきに編む)。
糸Cで1段編みながら分散減目をし、60 (66)目(約5目ごとにK2 tog)まで減らす。身頃と同じ要領で32 (35) cmまで編み、段の始めと終りで各5目ずつ伏せる(残り50 (56)目)。もう一方の袖も同様に編む。

身頃と袖を合体

PM、身頃、PM、袖、PM、身頃、PM、袖の順番に編む。
数段編む。次に出てくる段3(糸C)からラグラン減目を開始する。身頃と袖の境目の1目ずつにマーカーをつけ、その両側でK2 togをする。(4か所で2目ずつ、8目減目)。3段ごとに減目を繰り返し、36(45)段編む。ネックラインの減目を開始、平編みで裏メリヤス編みをする。
中央の8(10)目を伏せ、次に3目を1回、1目を10回。24段で34(36)目減目する。

衿ぐり

マーカーに接する目を両側で伏せ目する。糸Aでネックラインにそって5cmに約10目の割合で拾い、袖と後ろ身頃では約6目ごとにM1。ガーターで3cm編み、裏編みの段で表側から伏せ目をする。

仕上げ

端糸を始末し、カーペットの上に広げたタオルに置く。寸法どおりにピン打ちし、上にぬれた布をかぶせる。完全に乾燥させたらピンを外す。 袖を平編みした場合は、袖下をとじはぎする。

ヨーク

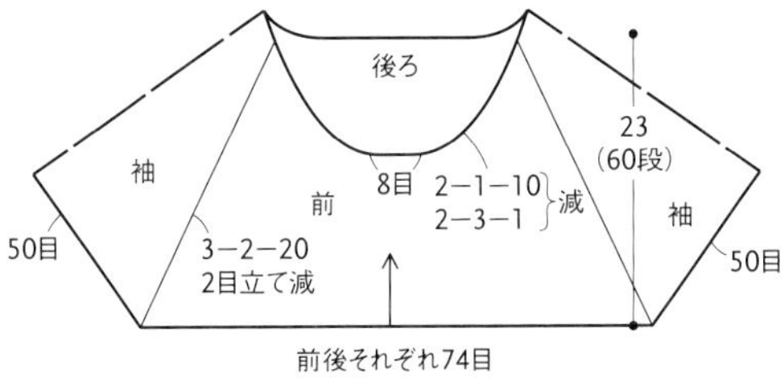

縞

B+C	2本どり	1段
A	1本どり	1段
C	1本どり	1段
A+B+C	3本どり	1段
B	1本どり	1段

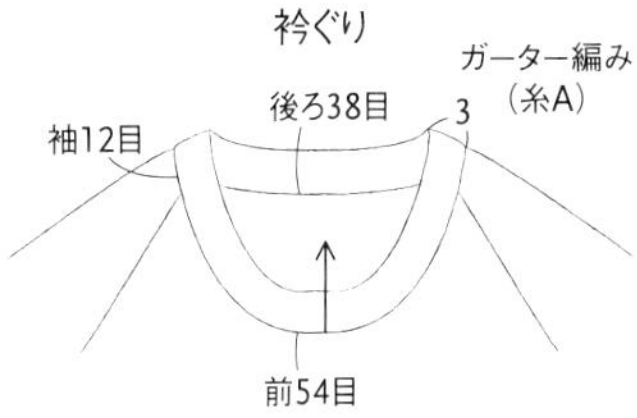

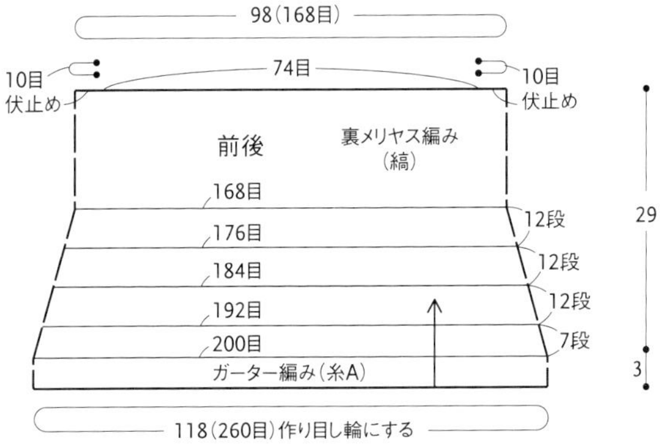

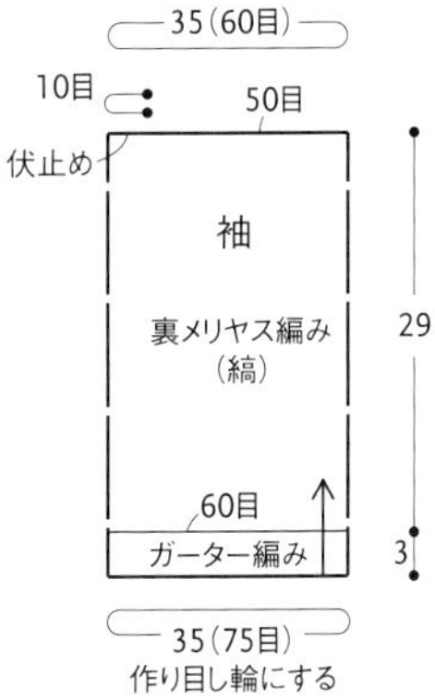

ドミノキャップ DOMINO CAP p.32

寸法 ……… 周囲55cm
使用糸 …… リッチモア パーセント〈グラデーション〉の茶系(217)40g=A
エクセレントモヘア〈カウント5〉の金茶色(7)20g=B
ゲージ …… ドミノ模様で24目が10cm
使用針 …… 3.5mmの短い輪針と短針セット
略語 ……… K=表編み
P=裏編み
Kfb=1目の前からと後ろから表編みを編んで増し目
M=ねじり増し目
K3 tog tbl=右上3目一度

♣ドミノ編み部分

◎トライアングル1（糸Aで）
糸Aで作り目を3目し、糸Bで裏返す。
最初の目にKfb、K1、最後の1目にKfb。裏返し、K5。
最初の目にKfb、K1、M1、K1、M1、K1、最後の1目にKfb。裏返し、K9。
最初の目にKfb、K3、M1、K1、M1、K3、最後の1目にKfb。裏返し、K13。
最初の目にKfb、K5、M1、K1、M1、K5、最後の1目にKfb。裏返し、K17。
この要領で25目を編み終えるまで続ける。最初の13目を伏せる。

◎スクエア2
糸Aでトライアングル1の12目を編んだら13目新たに作り目をし、裏返し、K25。
*糸Bに替え、K11、K3 tog tbl、K11。裏返し、P23（両端目はずっとガーター編みに編む）。
糸Aに替え、K10、K3 tog tbl、K10。裏返し、K21。
糸Bに替え、K9、K3 tog tbl、K9。裏返し、P19。
糸Aに替え、K8、K3 tog tbl、K8。裏返し、K17。
糸Bに替え、K7、K3 tog tbl、K7。裏返し、P15。
この要領で模様編みをし、各表段では中央の3目を右上3目一度する。
最後に糸AでK5をしたら、糸Bに替える。K1、K3 tog tbl、K1。裏返し、K1、P1、K1。
糸Aに替え、K3 tog tbl。裏返し、K1。糸を切らずにスクエア3に続ける。

◎スクエア3
スクエア2の辺から12目拾いながら編み、13目新たに作り目をする。裏返し K25。スクエア3＝スクエア2の*以降と同様に編む。編み終えたら糸を切る。

◎トライアングル4はトライアングル1と同様に編む。

◎スクエア5はスクエア2と同様に編む。
トライアングル4の辺から12目拾いながら編み、トライアングル1の伏せた辺から13目拾いながら編む。裏返しK25。スクエア2の*より続ける。

★スクエア6はスクエア3と同様に編む。
スクエア5とスクエア2の辺から25目拾いながら編む。K25。

◎トライアングル7、スクエア8、スクエア9はトライアングル4、スクエア5、スクエア6と同様に編む。

◎トライアングル10、スクエア11、スクエア12はトライアングル4、スクエア5、スクエア6と同様に編む。

トライアングル13、スクエア14 、スクエア15はトライアングル4、スクエア5、スクエア6と同様に編む。

♣トップ部分

短い輪針に替える。
スクエア15の頂点から糸Aで開始し、スクエア15の辺から12目を拾いながら編む。続いてスクエア12の辺から12目、スクエア12のもう一辺から13目、9の辺から12目、9のもう一辺から13目、6の辺から12目、6のもう一辺から13目、3の辺から12目、3のもう一辺から13目拾いながら編む。最後にスクエア15の辺から12目、下から上に向かって拾う（5×25＝125目）。これより輪針で、目数が少なくなったら短針で輪にして編む。1段P（＝ガーターの畝1つ）。模様編みで続ける。

糸Bで2段K。糸Aで1段K。1段P。
糸Bで、K11、*K3 tog tbl、K22*、*〜*を繰り返す。最後はK3 tog tbl、K11。
1段K。
糸Aで、K10、*K3 tog tbl、K20*、*〜*を繰り返す。最後はK3 tog tbl、K10。
1段P。
糸Bで、K9、*K3 tog tbl、K9、M1、K9*、*〜*を繰り返す。最後はK3 tog tbl、K9、M1。
1段K。
糸Aで、K8、*K3 tog tbl、K17*、*〜*を繰り返す。最後はK3 tog tbl、K9。
1段P。
糸Bで、K7、*K3 tog tbl、K7、Kfb（増し目1）、K7*、*〜*を繰り返す。最後はK3 tog tbl、K9、M1。
1段K。
糸Aで、K6、*K3 tog tbl、K14*、*〜*を繰り返す。最後はK3 tog tbl、K8。
1段P。
糸Bで、K6、*K3 tog tbl、K6、M1、K6*、*〜*を繰り返す。最後はK3 tog tbl、K6、M1。
1段K。
糸Aで、K5、*K3 tog tbl、K11*、*〜*を繰り返す。最後はK3 tog tbl、K6。
1段P。
糸Bで、最後の1目を左針に戻しK4、*K3 tog tbl、K4、Kfb、K4*、*〜*を繰り返す。最後はK3 tog tbl、K5、M1。
1段K。
糸Aで、K3、*K3 tog tbl、K8*、*〜*を繰り返す。最後はK3 tog tbl、K5。
1段P。
糸Bで、K3、*K3 tog tbl、K3、M1、K3*、*〜*を繰り返す。最後はK3 tog tbl、K3、M1。
1段K。
糸Aで、K2、*K3 tog tbl、K5*、*〜*を繰り返す。最後はK3 tog tbl、K3。
糸Bで、K1、*K3 tog tbl、K1、Kfb、K1*、*〜*を繰り返す。最後はK3 tog tbl、K2、M1。
1段K。
糸Aで *K3 tog tbl、K2*を繰り返す。1段K。K3 tog tblを繰り返す。
表段1段おきに、15と12、12と9、9と6、6と3、3と15の間の3目を3目一度する。4段おきにスクエア3、6、9、12と

15の頂点でM1。

残り5目になったら、糸Aでアンテナを編む。5目を編んだら、針の右側に目をスライドさせ、再び同じ向きから5目を編む。アンテナが2cmになったら糸を切り、5目に通す。

縁の仕上げ

糸Aでトライアングルから130目拾いながら編む。輪で編むか平編みで2.5cmガーターに編み、目を伏せる。端糸を始末する。

ドミノ編み

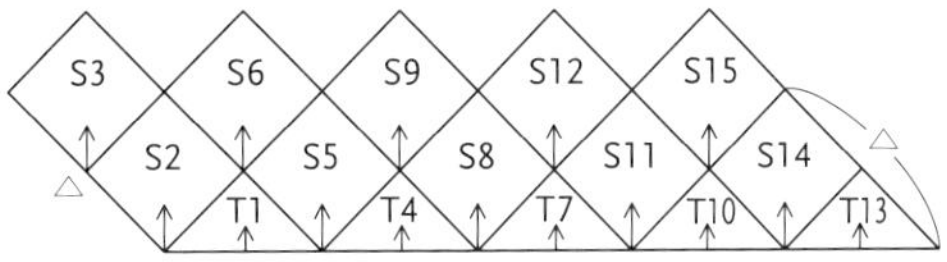

トップの拾い目

T=トライアングル
S=スクエア

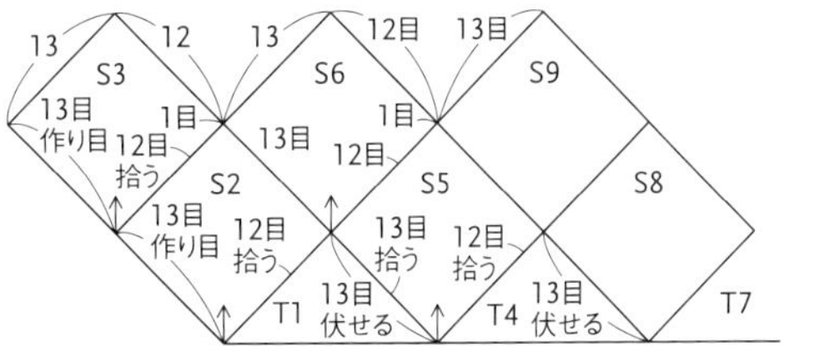

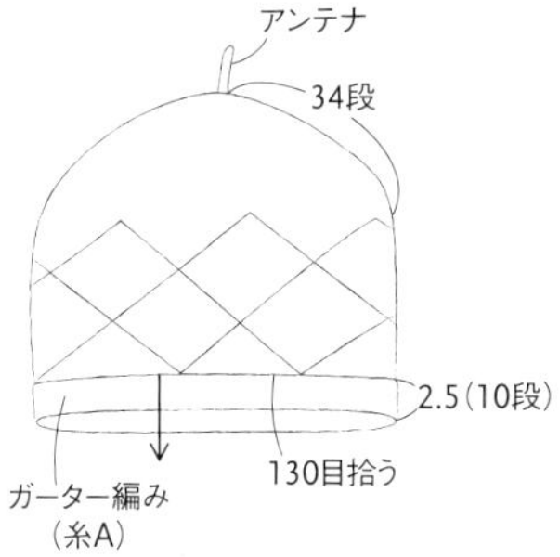

トライアングル1

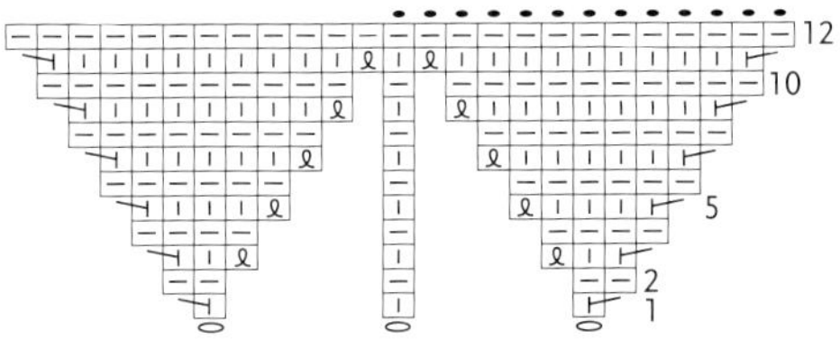

スクエア2

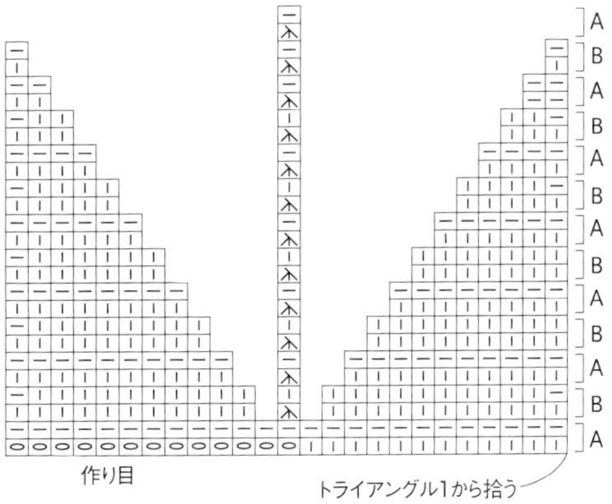

トップの編み方

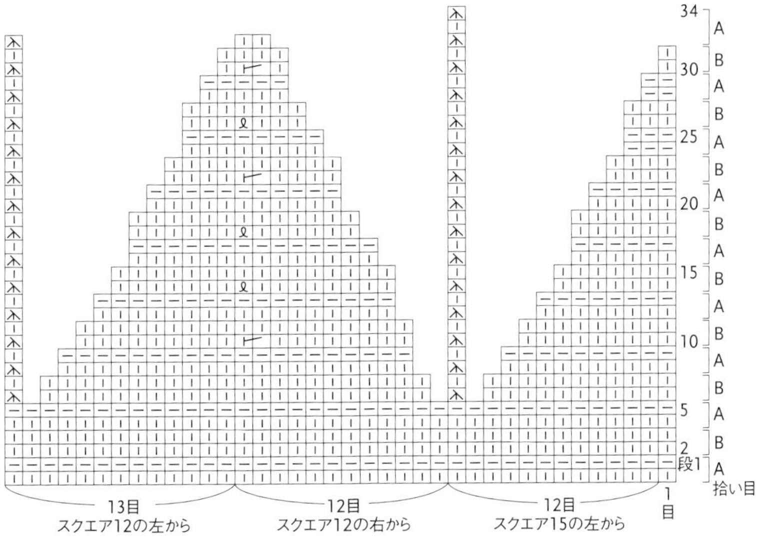

シュガーカーディガン SUGAR CARDIGAN p.43

サイズ …… M(L)
寸法 ……… 胸回り 88(100)cm
着丈 55(60)cm、または好みの丈
袖丈 40(45)cm
使用糸 …… Isager Tweedのグレー(Winter gray) 400(450)g
ボタン …… 直径16 mmを11個
ゲージ …… 25目36段が 10cm四方
使用針 …… 3mm
略語 ……… K = 表編み
P = 裏編み
Sl1 wyif = 糸を手前に置いていてすべり目
M = ねじり増し目
BO = 伏せ目
K2 tog = 左上2目一度
yo = かけ目

スワッチ(試し編み)

作り目を 21 目。
段1(裏段):Sl1 wyif、K5、*P2、K4*、*〜*を最後の3目まで繰り返し、P2、K1。
段2:K。
段3:段1と同様に。
段4:K1、*縄編み1回、K4*、*〜*を最後の8目まで繰り返し、縄編み1回、K6。
段1〜4を繰り返す。

◎ 縄編みの編み方
縄編みは2通りの編み方がある。右ひねりと左ひねり。見た目は少しだけ違うので、編みやすさなどを基準に選ぶ。
右ひねり:K2 tog、針から目は落とさないでおく。2目の間に右針を挿入し、最初の目からもう1目編む。目を左針から落とす。
左ひねり:最初の目を飛ばして2目めを編む。その目は針に残したまま最初の目を編み、左針から両方落とす。

この4段を3回繰り返したら、段1をもう一度編み、次のように編む:
K5、M1、K6、M1、K6、M1、K4、縄編みの間に5目ずつ、全部で24目となる。段1と同様だがK4かK5に。

この4段を3回繰り返したら、再び増し目する。前立て側の目が8目となり、縄編みの間が6目ずつとなる(27目)。この4段を3回繰り返したら、伏せ目する。

スワッチをはかる。底辺が8cm、上辺が10cm、高さ10cmとなる。

前後身頃(ボトムアップで脇まで編む)

作り目を228(255)目=7×9(10)目:縄編みに2目、その間に7(8)目:前身頃に63(70)目。後身頃は13×8(9)目:縄編みに2目、その間に6(7)目:全部で104(117)目。残りの61(68)目は反対側の前身頃。前身頃のうちの1目は実は後身頃に属するが、このように計算したほうが分かりやすい。

段1(裏段):Sl1 wyif、K6(7)、*P2、K7(8)*、*〜*をあと5回繰り返す。次の2目をP2、ここにマーカーを入れる(脇)。*K6(7)、P2*、これをあと12回繰り返す。最後の2目にマーカーを入れる。*K7(8)、P2* を6回繰り返す、最後はK7(8)。
段2:Sl1 wyif、最後までK。
段3:段1と同様。
段4:段2と同様に、ただしメリヤス編みの2目で縄編みを編む。

この4段を繰り返しながら、右側にボタンホールを作る:
Sl1 wyif、K3、BO1、K2(3) = 前立ての7目。次の段は伏せ目の場所で1目作り目をする。

16段ごとにボタンホールを作る。

2つめのボタンホールを編むと同時に、後ろ身頃の縄編みと縄編みの間(ガーター編み部分)で増し目を行なう=間隔が 7(8)目となる。 最初の増し目段では両側のパネルのみで増し目。次のボタンホールではその両内側で増し目。最後残りのパネルで増し目をし、間隔が7(8)目ずつとなる。

後ろ身頃

編み地が35(40)cm、またはアームホールまでの好みの長さになったら(着丈は55(60)cm)、前後身頃を分ける。両脇ともマーカーをつけたケーブルの部分で分ける。前身頃を別糸に休める。
表段ごとに両端のガーター編みの内側で2目一度をする。片側ずつ8目が減目されるまで編む。これ以降、とじはぎのために最初と最後の目はガーター編みで編む。
編み地が アームホールから21cmになったら、中央の29(30)目に印をつけ、肩の引返し編みに入る:段の最後6(7)目まで編み、裏返し、yo。段の最後6(7)目まで編み、裏返し、yo。段の終りから12(14)目まで編む(yoは数えない)。同様に6(7)目ずつ少なく編んで裏返し、中央の29(30)目が残ったら、1段段消しをする。後ろ身頃を休める。

前身頃

後ろ身頃と同様に脇の目を減目する。アームホールから10cmになったら、前中心側の縄編みを編むのをやめ、15cmになったら2つめの縄編みもやめる。メリヤス編みの代りにガーター編みをする。 編み地がアームホールから21cmになったら、後ろ身頃と同様に肩の引返し編みをする。段消しを1段編む。

後ろ身頃の目を針に戻し、前後身頃の対応する肩どうしを中表にして針先をそろえ、左手に持つ。3本めの針で前後の針から1目ずつを2目一度し、目を伏せていく。

衿

ガーター編みで残りの目を続ける。 前立て側の端の目はすべり目をし、残りはガーター編みをする。 衿が 6(7)cm、または後ろ衿の半分まで編む。目を休め、反対側も同様に編む。 両方の目を針に戻し、肩と同じ方法でとじる。今編んだ衿のガーター編み側から拾いながら編み、身頃側からも同じ数の目を拾う。肩と同様に、後ろ側からとじる。

袖

59目作り目。
段1(裏段):K1、*P2、K3*、*〜*を最後の3目まで繰り返し、P2、K1。
段2:K。
段3:段1と同様。
段4:段2と同様。 ただしメリヤス編みの2目で縄編みを編む。
この4段を繰り返す。
編み地が 10cmになったら、縄編みの間でM1(P2、K4となる)。15cm、20cm、25cmで同様に増し目する(最後は縄編みどおしの間が7目となる)。袖が太すぎると感じたら、最後の増し目の際に(25cm位置)袖の外側は増目をせずに6目ずつにしておく。
袖を40(45)cmまたは好みの長さまで編み、袖山の減目を開始。次の2段の最初で10目ずつ、毎段3目を9回繰り返す。29目が残る。目を伏せる。

仕上げ

端糸を始末し、カーペットの上に広げたタオルに置く。寸法どおりにピン打ちし、上にぬれた布をかぶせる。完全に乾燥したらピンを外す。袖を表側からすくいとじする。
ボタンを縫いつける。

シュガーカーディガン SUGAR CARDIGAN

スワッチ・模様編み

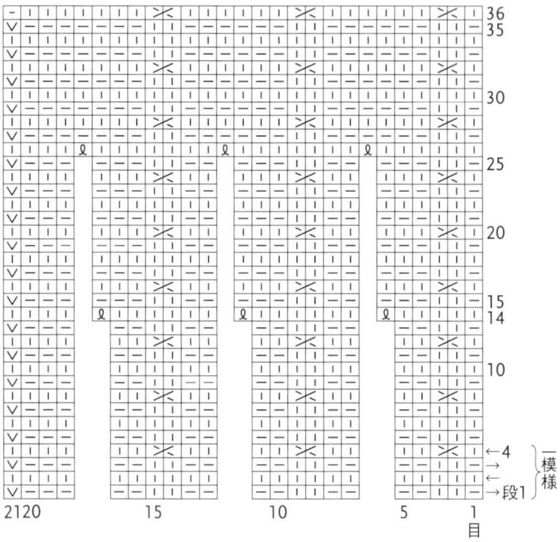

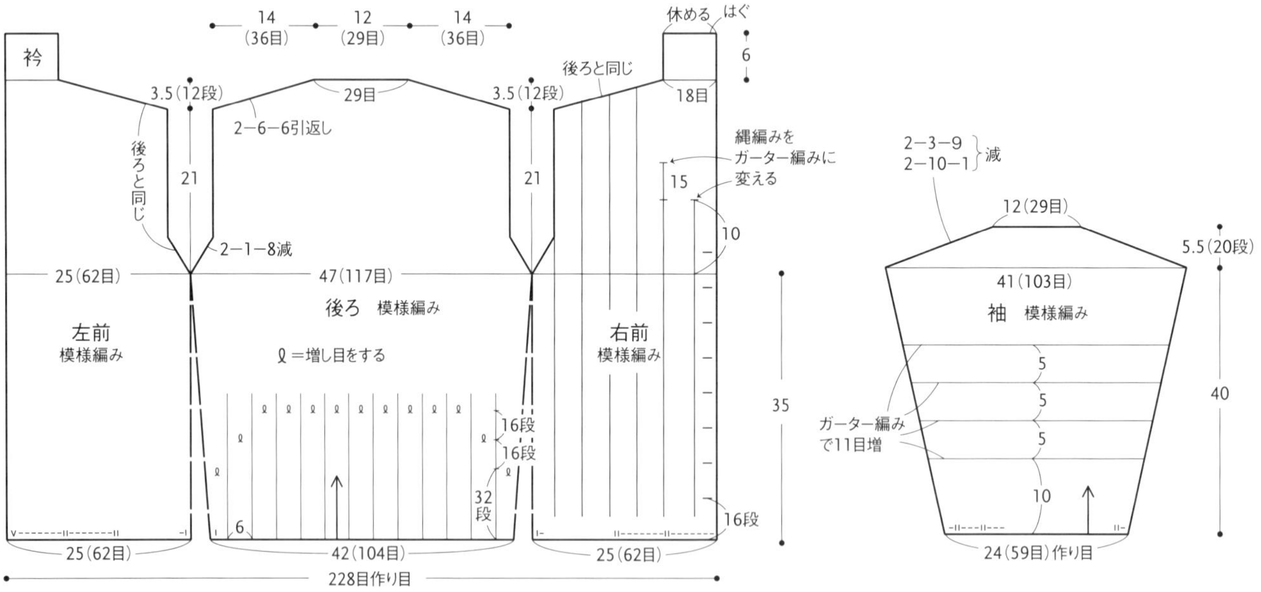

クラーカ・ショール KRAKA SHAWL p.40

寸法 ……… 幅 155cm
　　　　　　高さ 70cm
使用糸 …… Isager Spinniの黄緑(40) 150g
　　　　　　Alpaca 1の黄緑(40) 100g　各1本ずつの2本どり
ゲージ …… レース模様20目29段が10cm四方
使用針 …… 4mm
略語 ……… K＝表編み
　　　　　　P＝裏編み
　　　　　　YO＝ かけ目
　　　　　　Dr1＝1目落とす

スワッチ（試し編み）

指にかける作り目の方法でで28目作り目し、以下のように2目ゴム編みを開始する。
段1（表側）：K1、*P2、K2*、*〜*を繰り返し、最後の3目をP2、K1。
段2（裏側）：K1、*K2、P2*、*〜*を繰り返し、最後の3目をK3。
上記2段を3回繰り返し、段1をもう一度編む。

レース模様のセットアップ段を次のように編む：K、*K2、P1、yo、P1、K2、P2*、*〜*までを最後の3目まで繰り返し、K3。

◎レース模様を編む
段3（表側）：K1、*P2、K2、P2、K3*、*〜*を最後の3目まで繰り返し、P2、K1。
段4（裏側）：K1、*K2、P3、K2、P2*、*〜*を最後の3目まで繰り返し、K3。
段3と段4を2回繰り返す。段3をもう1度編み、
次の裏段は以下のとおりに編む：K1、*K2、P1、Dr1、P1、K2、P1、yo、P1*、*〜*を最後の3目まで繰り返し、K3。
段5：K1、*P2、K3、P2、K2*、*〜*までを最後の3目まで繰り返し、P2、K1。
段6：K1、*K2、P2、K2、P3*、*〜*までを最後の3目まで繰り返し、K3。
段5と6を2回繰り返す。段5をもう一度編み、
次の裏側は段6を以下のように編む：K1、*K2、P1、yo、P1、K2、P1、Dr1、P1*、*〜*を最後の3目まで繰り返し、K3。
段3と段4を2回繰り返す。 段3をもう一度編み、最後の段として段4を以下のように編む：K1、*K2、P1、Dr1、P1、K2、P2*、*〜*を最後の3目まで繰り返し、K3。

2目ゴム編みを数cm編み、ゴム編みの伏せ目をする。
このスウォッチを指定の寸法になるようにピン打ちし、湿った布をかぶせて自然乾燥させる。乾いたらゲージをはかる。

ショール

このショールは上辺中央から外に向かって編む。
4目作り目をする。1段K。

すべての目の手前と後ろから2度ずつ編み入れ、8目に増し目する。1段K。

これよりレース模様を開始する：
段1：K2、yo、K1、yo、K2、yo、K1、yo、K2。
段2：K5、P2、K5。
段3：K3、yo、K2、yo、K2、yo、K2、yo、K3。
段4：K4、P2、K1、P2、K1、P2、K4。
段5：K3、yo、P1、K1、yo、K1、P1、yo、K2、yo、P1、K1、yo、K1、P1、yo、K3。
段6：K5、P3、K2、P2、K2、P3、K5。
段7：K3、yo、P2、K3、P2、yo、K2、yo、P2、K3、P2、yo、K3。
段8：K3、P1、K2、P3、K2、P1、P2、P1、K2、P3、K2、P1、K3。
段9：K3、yo、K1、P2、K3、P2、K1、yo、K2、yo、K1、P2、K3、P2、K1、yo、K3。
段10：K3、P2、K2、P3、K2、P6、K2、P3、K2、P2、K3。
段11：K3、yo、K2、P2、K3、P2、K2、yo、K2、yo、K2、P2、K3、P2、K2、yo、K3。
段12：K4、P2、K2、P3、K2、P2、K1、P2、K1、P2、K2、P3、K2、P2、K4。
段13：K3、yo、P1、K1、yo、K1、P2、K1、Dr1、K1、P2、K1、yo、K1、P1、yo、K2、yo、P1、K1、yo、K1、P2、K1、Dr1、K1、P2、K1、yo、K1、P1、yo、K3。
段14：K5、P3、K2、P2、K2、P3、K2、P2、K2、P3、K2、P2、K2、P3、K5。
段15：K3、yo、P2、K3、P2、K2、P2、K3、P2、yo、K2、yo、P2、K3、P2、K2、P2、K3、P2、yo、K3。
段16：K3、P1、K2、P3、K2、P2、K2、P3、K2、P4、K2、P3、K2、P2、K2、P3、K2、P1、K3。
段17：K3、yo、K1、P2、K3、P2、K2、P2、K3、P2、K1、yo、K2、yo、K1、P2、K3、P2、K2、P2、K3、P2、K1、yo、K3。
段18：K3、P2、K2、P3、K2、P2、K2、P3、K2、P6、K2、P3、K2、P2、K2、P3、K2、P2、K3。
段19：K3、yo、K2、P2、K3、P2、K2、P2、K3、P2、K2、yo、K2、yo、K2、P2、K3、P2、K2、P2、K3、P2、K2、yo、K3。
段20：K4、P2、K2、P3、K2、P2、K2、P3、K2、P2、K1、P2、K1、P2、K2、P3、K2、P2、K2、P3、K2、P2、K4。
段13〜20をもう一度編むが、このときアミかけの部分を2回繰り返す。
段13〜20をもう一度編むが、このときアミかけの部分を3回繰り返す。

ショールの中央の長さが約60cmになったら、次のように増し目する：K3、yo、P1、K1、M1、K1、*P2、K1、Dr1、K1、P2、K1、M1、K1*、*〜*を中央（2目）の2目手前まで繰り返し、P1、yo、K2、yo、P1、K1、M1、K1、*〜*を最後の5目まで繰り返し、P1、yo、K3。

次の段：K5、*P3、K1、M1、K1、P1、M1、P1、K1、M1、K1*、*〜*を中央（2目）の5目手前まで繰り返し、P3、K2、P2、K2、*〜*を最後の8目まで繰り返し、P3、K5。

3目ゴム編みを続けながら、両端の3目内側と、中央2目の両側でそれぞれyoをする。新しい目はゴム編みに組み入れる。ゴム編み部分が10cmになったらガーター編みを6段編む（ガーターの畝が3つできる）。ゆるく伏せ目をする。

端糸を始末する。カーペットの上にタオルを広げ、その上にショールを広げる。指定の寸法になるようピン打ちし、ぬれた布をかぶせる。自然乾燥で完全に乾いた後で、ピンを外す。

スウォッチ・模様編み

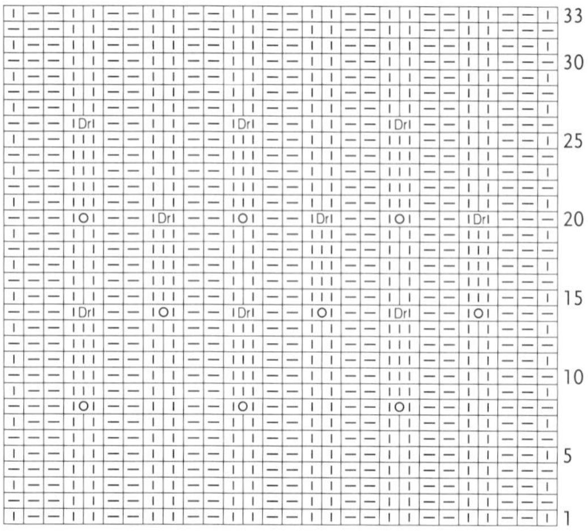

Dr＝目を落とす

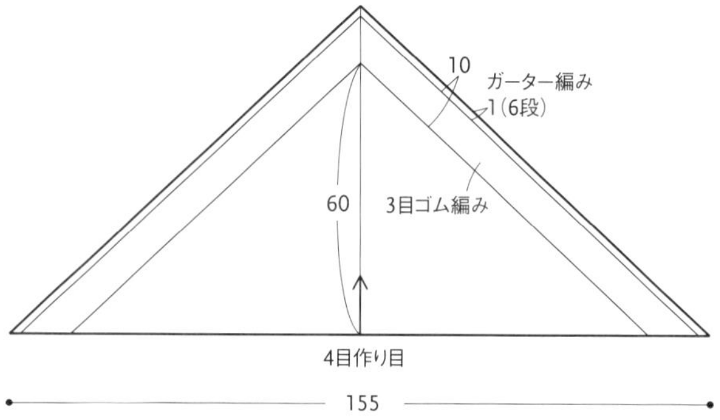

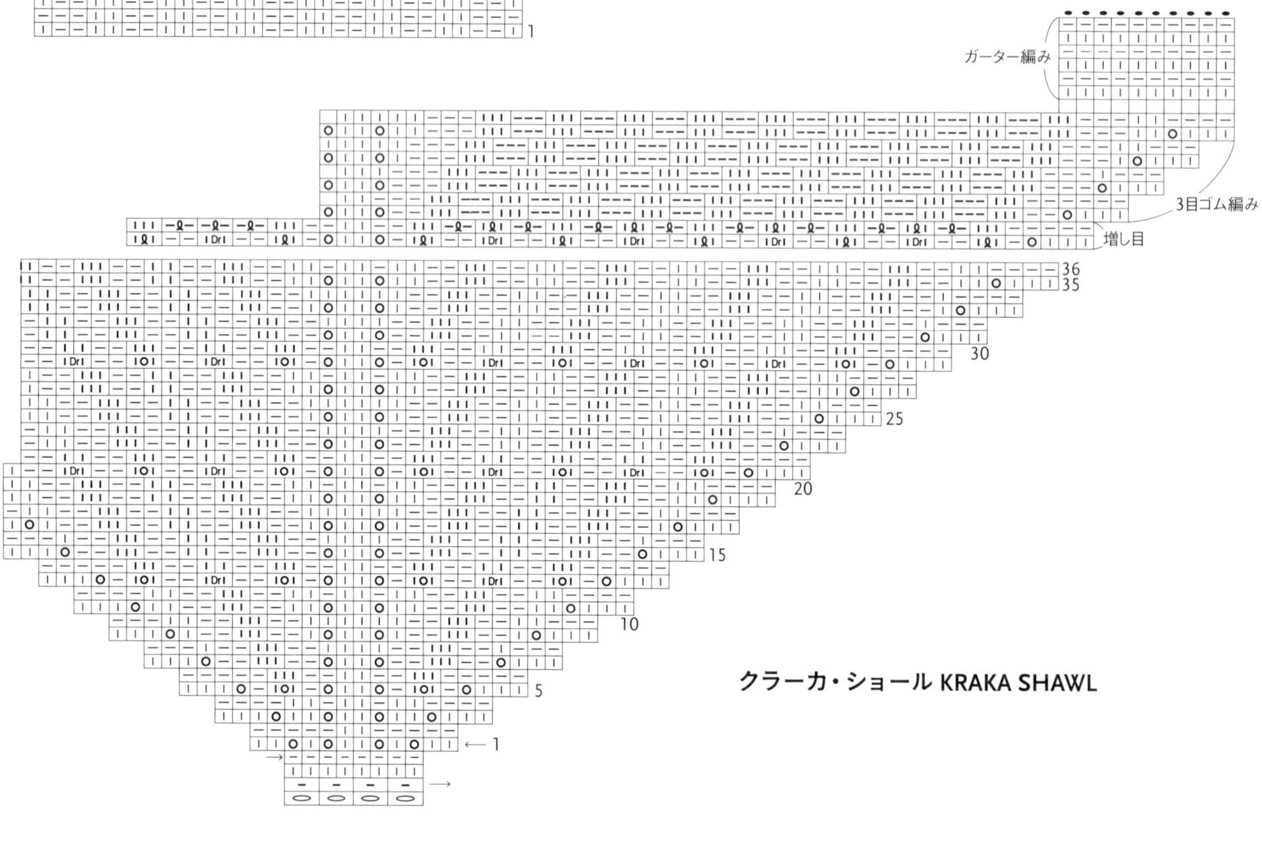

クラーカ・ショール KRAKA SHAWL

ケーブル模様のマフラー SCARF with CABLE p.38

寸法 ……… 30×208cm
使用糸 …… パピー　アルパカリミストの紫系(716) 320g
キッドモヘヤマルチの紫系(801) 100g 各1本ずつの2本どり
ゲージ …… ケーブル模様19目22段が10cm四方
使用針 …… 5mm、縄編み針
略語 ……… K＝表編み
P＝裏編み
K2 tog＝左上2目一度
M＝ねじり増し目

マフラーの始め

71目作り目をし、5段K(ガーター編み)。次に下記のように5目ゴム編みをする。
段1：K3、*K5、P5*、*〜*を6回繰り返し、K8。
段2：K3、*P5、K5*、*〜*を6回繰り返し、P5、K3。
ゴム編み部分が22cmになったら、
段3：K3、* K1、K2 tog、K2、P5 *、*〜*を6回繰り返し、K1、K2 tog、K5。
段4：K3、* P4、K1、K2 tog、K2 *、*〜*を6回繰り返し、P4、K3。
この時点で13×4目＋端目6目＝58目。

◎ケーブル模様
段5：K3、*K4、P4*、*〜*を6回繰り返し、K7。
段6：K3、*P4、K4*、*〜*を6回繰り返し、P4、K3。
段7：K3、*次の2目を縄編み針に移し、編み地の手前に置き、
左針からK2、縄編み針からK2(＝ケーブル)、P4*、*〜*を6回繰り返し、
最後はケーブル、K3。
段8：段6と同様に編む。
段9：段5と同様に編む。
段10：K3、*P4、ケーブル*、*〜*を6回繰り返し、P4、K3。
マフラーが160cm、または好みの長さになるまで段5〜10を 編む。
段6で終える。

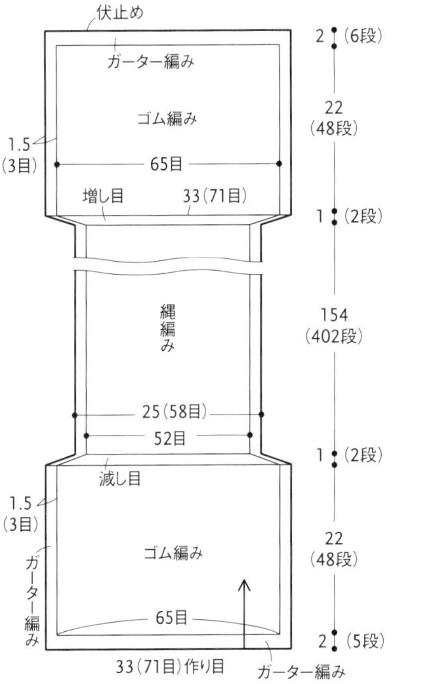

マフラーの終り

段11：K3、*K2、M1、K2、P4*、*〜*を
6回繰り返し、K2、M1、K5。
段12：K3、*P5、K2、M1、K2*、*〜*を
6回繰り返し、P5、K3。
この時点で13×5目＋端目6目＝71目。
段13：K3、*K5、P5*、*〜*を6回繰り返し、K8。
段14：K3、*P5、K5*、*〜*を6回繰り返し、
P5、K3。
ゴム編みが22cmになるまで段13と14を繰り返す。
6段K。 最後にすべて伏せ目する。

仕上げ

端糸を始末した後、カーペットの上にタオルを
広げ、その上にマフラーを広げる。
指定の寸法になるようピン打ちし、ぬれた布をかぶ
せる。完全に乾燥したらピンを外す。

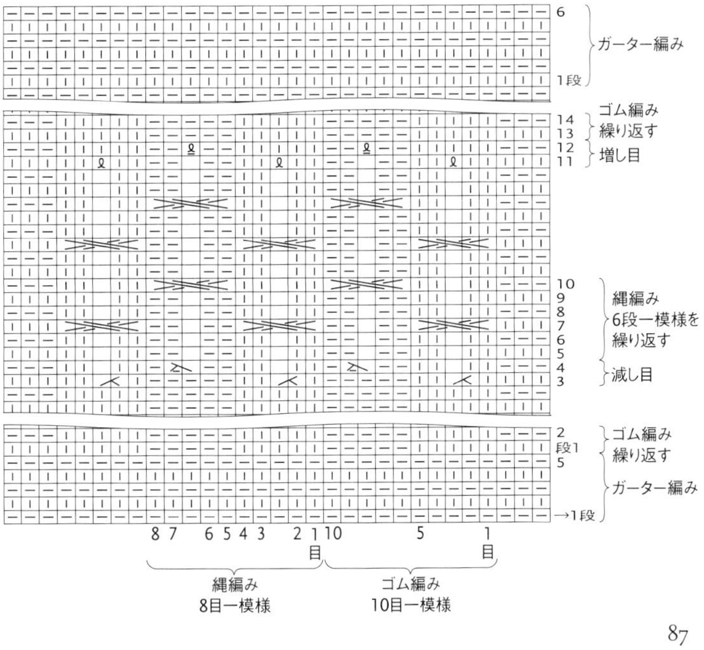

ジグザグ模様のセーター ZIG ZAG TOP p.36

サイズ …… S(M) L
寸法 ……… 胸回り 84(92) 100cm
着丈 46(51) 56cm、または好みの長さ
使用糸 …… ホビーラホビーレ　リンネットウールのピンク(02) 150(150) 200g
ゲージ …… メリヤス編み23目35段が10cm四方、ジグザグ模様27目が10cm
使用針 …… 3.5mmの輪針、短い輪針か短針
略語 ……… K＝表編み
P＝裏編み
K2 tog＝左上2目一度
K2 tog tbl＝後ろ側のループから2目一度(右上2目一度になる)
M＝ねじり増し目

スワッチ(試し編み)

スワッチが編始めの部分にもなる。両肩はガーター編みの正方形2つから始まる。

9(12) 12目作り目をし、Kで18(24) 24段編む。
各段の最初の目は必ず、糸を手前に置いた状態ですべり目をする。
次の表段でK8(11) 11、次の目に2目編み入れる。
そのまま続けて正方形の次の1辺から9(12) 12目を拾いながら編む。裏返して19(25) 25目P。最初と最後の目は毎段K。
次の表段: K1、K2 tog、K6(9) 9、M1、K1、M1、K6(9) 9。K2 tog tbl、K1。裏返してP。
全部で10段になるまで編み、最後の裏段ではすべてK。さらに10段同様に編み、目をほつれ止めに休めておく(実際の作品を編む場合)。
スワッチの場合はさらに4段ガーター編みで編む。すべて伏せ目してピンでとめ、上からぬれた布をかぶせてから完全に乾燥させる。乾いたらゲージをはかる。

身頃

このセーターはトップダウンで編み、前述のスウォッチ2つから始める。この2つのスウォッチは両肩部分になる。

前身頃
2つのスワッチの目を拾い、その間に49(49) 53目作り目をする(中央の目にマーカーをつける)。これよりこの中央の目の両側で増し目を行なう。

段1: K1、K2 tog、K6(9) 9、M1、K1、M1、K6(9) 9、K2 tog tbl、K1、K2 tog、K22(22) 24、M1、K1(＝中央の目)、M1、K22(22) 24、K2 tog tbl、K1、K2 tog、K6(9) 9、M1、K1、M1、K6(9) 9、K2 tog tbl、K1＝87(99) 103目。
段2: K1、最後の1目までP、K1。
段1と2を10回繰り返す。10段ごとに裏段ですべての目をK。
アームホールを深くする場合はさらに10段編む。両脇部分で増し目するので、アームホールは現段階よりも4cm深くなる。

後ろ身頃
肩の正方形の反対側から<同じ数>の目を拾いつつ、間に49(49) 53目作り目をする。前身頃と同様に40(40) 40段編み、同じ長さにする。

前後身頃を合体
ここで前後身頃の間に27(27) 31目ずつ作り目をして、輪編みを開始する。身頃の幅を広げる場合は作り目を増やす(＋3目追加するごとに 約1cm)。両サイドの中心の目に印をつけ、この両側で増し目をする。輪編みをするので裏段はなくなる。10段ごとに忘れずに1段裏編みをすること。増し目と減し目は2段おきに行なう。
脇にウエストシェープを追加する際は、増し目をやめるか、もしくは2目一度の代りに3目一度で減し目する。ウエストの増し目をする場合は、減し目をやめる。この方法によって、ヒップに合わせて裾の幅を広げることができる。

着丈が好みの長さになったら、最後はガーター編みを6段する（表編みと裏編みを1段おきに繰り返す）。目を伏せる。衿ぐりとアームホールにそって10cmごとに約22目を拾って編む。1段めは裏編みから開始し、ガーター編みで5段編んだら伏せ目をする。

▲仕上げ

広げたタオルにセーターを置き、寸法どおりにピン打ちし、上にぬれた布をかぶせる。完全に乾燥したらピンを外す。

肩・前衿ぐり

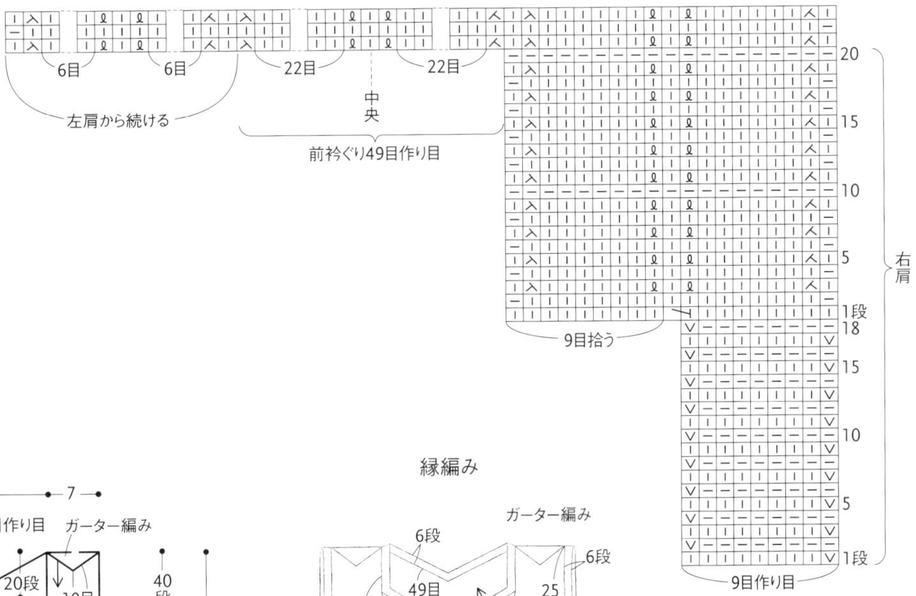

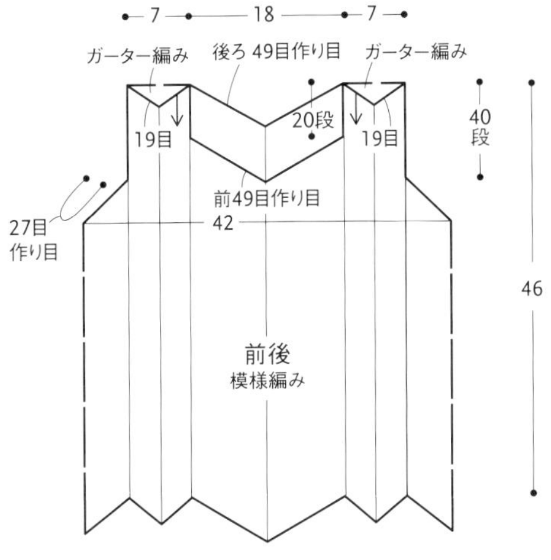

縁編み

すべり目模様のカウル COWL with SLIP STITCH PATTERN p.48

寸法 ……… 首回り50cm
使用糸 …… リッチモア パーセント〈グラデーション〉の紫系(201) 120g = A
エクセレントモヘア〈カウント5・グラデーション〉の紫系(121) 80g = B
シルクフィール〈プリント〉のグレー系(103) 20g = C
ゲージ …… 4目ゴム編みは16目24段が10cm四方
使用針 …… 4mm(40または60cm輪針)、すべり目のエッジ用に3.5mmの輪針
略語 ……… K = 表編み
P = 裏編み
M = ねじり増し目
Sl1 wyab = 糸を編み地の後ろに置いてすべり目1目

首回りから編む

糸AとBを引きそろえて80目作り目をする。輪にし、4目ゴム編みで7〜8cm編む。
K4、この4目に安全ピンで印をつけ、次の12目をゴム編み、*〜*を繰り返す = 5か所にマーカーがついた状態となる。

増し目段：5つのマーカーの両側でM1をしながら1段編む=10目が増し目される。
次の段を編む(増えた目はK)。
これら2段を繰り返す。増し目はゴム編みに繰り入れていく(表目が12目連なったら、次の増し目は裏目となる)。上記を繰り返し、目が増えてきたら60cmの輪針に持ち替える。

1段の目数が160目になったら、4目ゴム編みを2段編む。
次の段：増し目をしながらメリヤス編み=170目。
メリヤス編みを2段編む。
増し目段=180目。
メリヤス編みを3段編む。増し目段を編む=190目。
メリヤス編みを4段編む。増し目段を編む=200目。
メリヤス編みを5段編む。増し目段を編む=210目。

最初の増し目から16cmになるまで、メリヤス編みで編む。3.5mmの針に替える。

すべり目模様

糸Cで1段次のようにメリヤス編みを編む。 *K2、M1*、*〜*を繰り返し、最後はK2。
1段P。
段1：糸AとBの2本どりで、*K1、sl1 wyab*、*〜*までを繰り返す。
段2：糸AとBの2本どりで、*P1、sl1 wyab*、*〜*までを繰り返す。
段3と4：糸Cで1段K、1段P。
段5：糸AとBの2本どりで、*Sl1 wyab、K1*、*〜*までを繰り返す。
段6：糸AとBの2本どりで、*Sl1 wyab、P1*、*〜*までを繰り返す。
段7と8：段3と4と同様に編む。
段1〜8を繰り返す。

糸AとBの2本どりで1段編む。4mm針に持ち替え次のように編む、*K1、K2 tog*、*〜*を繰り返すが、このとき2回はK2 togの代りにK3 togをする。208目になる。

4目ゴム編みで3cm編み、ゴム編みで伏せ目する。
裏側からスチームを当てて整える。

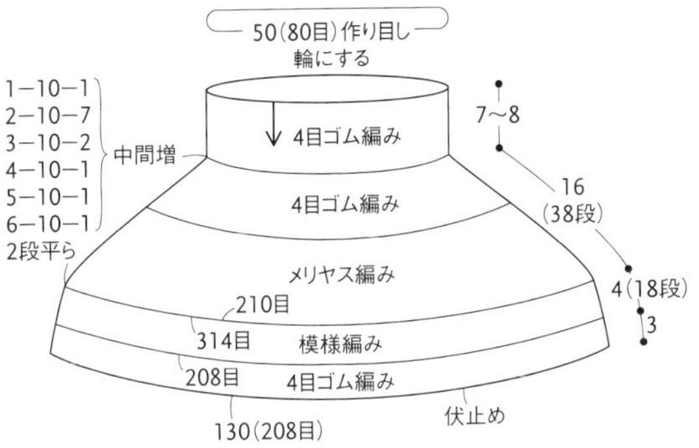

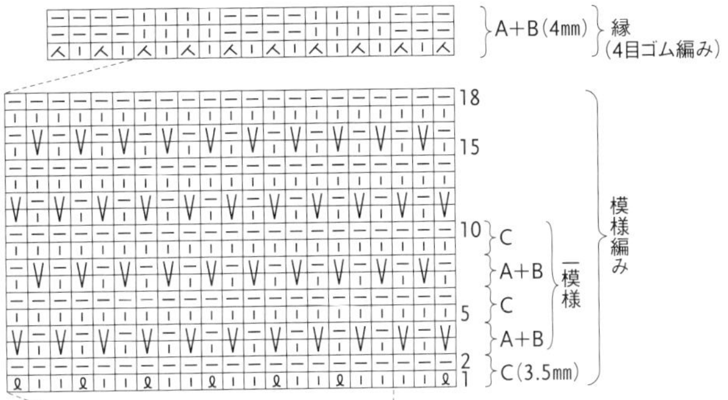

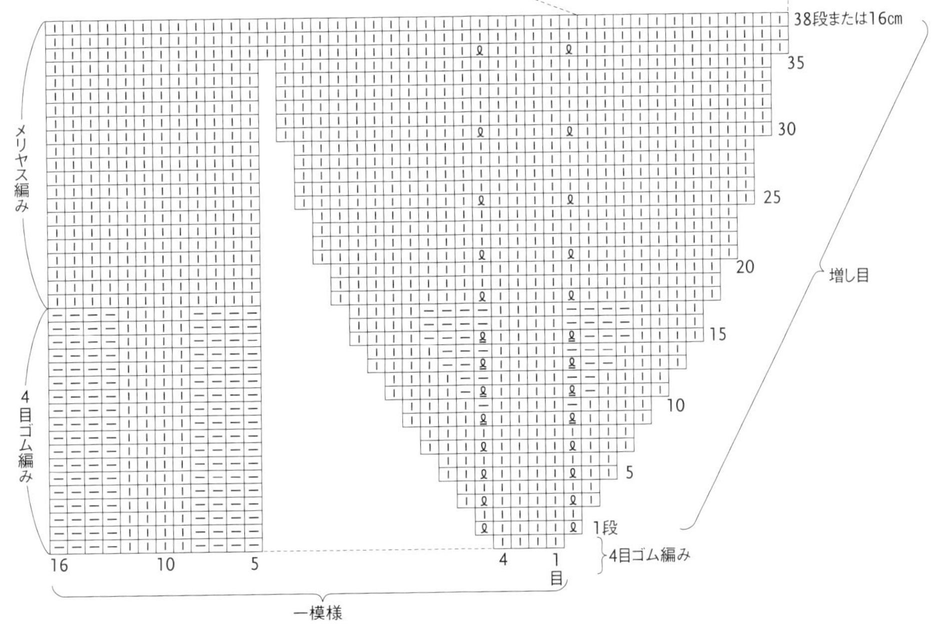

ジグザグジャケット ZIG ZAG JACKET p.46

サイズ …… S(M) L
寸法 ……… 胸回り 92(100) 108cm
袖丈 45〜50cm、または好みの長さ
着丈 55〜60cm、または好みの長さ
使用糸 …… リッチモア　パーセント〈グラデーション〉の紫系(参考商品) 350(400) 450g
ボタン …… 直径15mmを7個
ゲージ …… メリヤス編みは24目32段、ジグザグ模様は30目28段10cm四方
使用針 …… 3.5mm
略語 ……… K=表編み
P=裏編み
K2 tog=左上2目一度
K2 tog tbl=2目一緒にねじり目する=右上2目一度
Kfb=1目の手前と後ろ側に2回編み入れる
M=ねじり増し目
BO=伏せ目

スワッチ(試し編み)

15目作り目をし、30段ガーター編みをする。
注意:毎段最初の目を裏編みの要領ですべり目し、端を整える。

段1（表段）：K14、Kfb、正方形のもう1辺から15目を、目をねじりながら拾う。
段2（裏段）：K1、P29、K1。
段3：K1、K2 tog、K12、M1、K1、M1、K12、K2 tog tbl、K1。
段4：K1、P29、K1。
段3、4を繰り返し、全部で10段編む。10段めはすべてK。
ジグザグ模様をさらに10段編む。
最後は6段ガーター編みをする（減し目と増し目は同じように行なう）。表側から目を伏せる。

前身頃

ガーター編みでスクエアを編み、これが肩になる。
13（15）17目 作り目をし、26（30）34段ガーター編みをする。
注意：毎段最初の目を裏編みの要領ですべり目し、端を整える。
段1（表段）：K12（14）16、Kfb、正方形のもう1辺から13（15）17目を、目をねじりながら拾う。
段2（裏段）：K1、P25（29）33、K1。
段3：K1、K2 tog、K10（12）14、M1、K1、M1、K10（12）14、K2 tog tbl、K1。
段4：K1、最後の目までP、K1。

上記段3、4を全部で10段編むが、最後の裏段ではすべてK。
更に10段編む。

前衿ぐりの部分を27目 作り目する。
表段：K1、M1、K24、K2 tog tbl、K1、K2 tog、K10（12）14、M1、K1、M1、K10（12）14、K2 tog tbl、K1。
裏段：K1、最後の5目までP、K5。
これを20（20）30段編む。10段ごとにすべての目をKにする。

もう片方の肩も同様に編むが、前衿ぐり部分は左右を対称にする。
と同時に、20段編んでから最初のボタンホールを作る。次の段で最後の5目まで普通に編み、BO2、K1、M1、K1。次の段では伏せ目した分を作り目する。
これを20段ごとに繰り返す。

後ろ身頃

肩の正方形の反対側より27（31）35目 を拾いながら編み、衿ぐり部分を53目作り目し、反対側の肩から27（31）35目を拾いながら編む。平編みで編み進める。センターの目に印をつけ、この両サイドで増し目をしつつ、中央から26目 のところでそれぞれ減し目をする。
最初と最後の目はガーターに編む。

後ろ身頃と前身頃を合体

後ろ身頃が前と同じ長さになったら、輪針で前後身頃を一緒に編む。このとき、前後の間で35（39）43目作り目をする。
両脇の中心の1目に印をつける。この目の両側で増し目をし、作り目した35（39）43目の両側で減し目をする。
20段編んだら減し目を開始。1段増し目をせずに編むことによって減し目される。
次の段ではジグザグの間のメリヤス部分が2目減っている（全体で8か所16目）。減し目段を20段ごとに合計3回編む。
9段編み、10段めに増し目をする。
増し目は1段減し目をせずに編むことによって行なわれる。これで合計16目が増し目される。この要領で10段ごとに増し目。合計で脇から110段のところまで編む。最後はガーター編みを6段編み（増し目と減し目は続けて行なう）、表側から伏せ目をする。

袖

袖下の作り目から35（39）43目を拾いながら編む。マーカーを入れ、アームホールの片側から35（37）39目 拾い、逆側から35（37）39目拾う。マーカーを入れる。現時点で針には105（111）117目かかっている。肩山の中央8目に印をつけ、この位置まで編む。（M1、K2）×4回、M1（5目が増し目される）。段の終りまで編む。袖下の中央の目にも印をつける。
ここからメリヤス編みで段を開始し、次のマーカーの2目手前まで編み、K2 tog tbl。そのまま続け、袖の反対側ではマーカーのあとで K2 togをする。この減し目を1段おきに繰り返す。袖下の作り目の部分の目が3目になったら、続けて今度はマーカーの後と次のマーカーの手前で6段ごとに減目をし、50目が残る。好みの長さになったら、最後は6段ガーター編みをしてから(1段K、1段P)伏せ目をする。もう一方の袖も同様に編む。

衿ぐりと仕上げ

衿ぐりにそって、5cmに約10〜12目を拾いながら編む。5段ガーター編みで編んだら表段で伏せ目をする。最初の段では前立てと同様にボタンホールを作る。ボタンをつける。

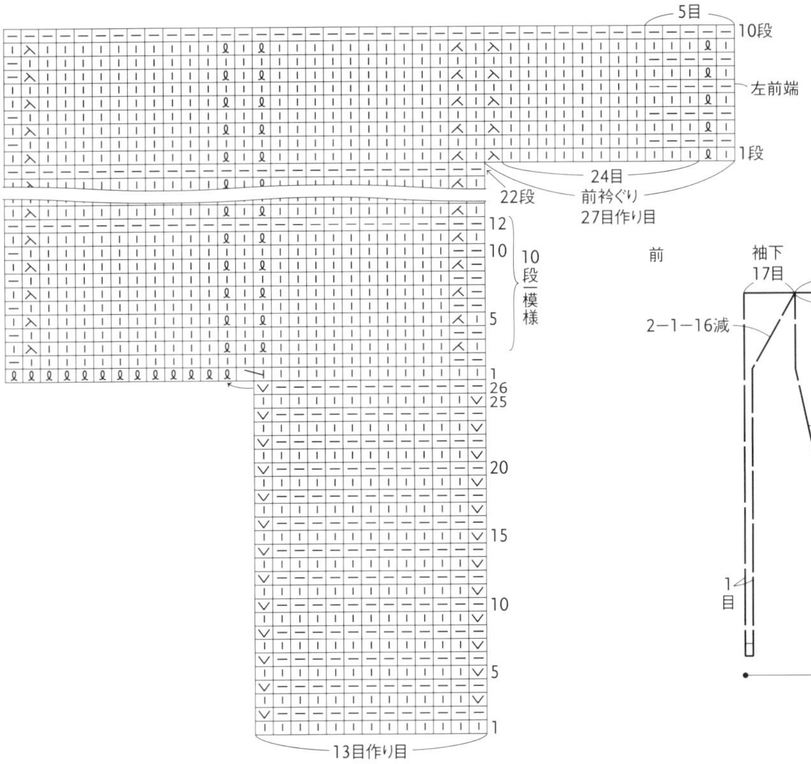

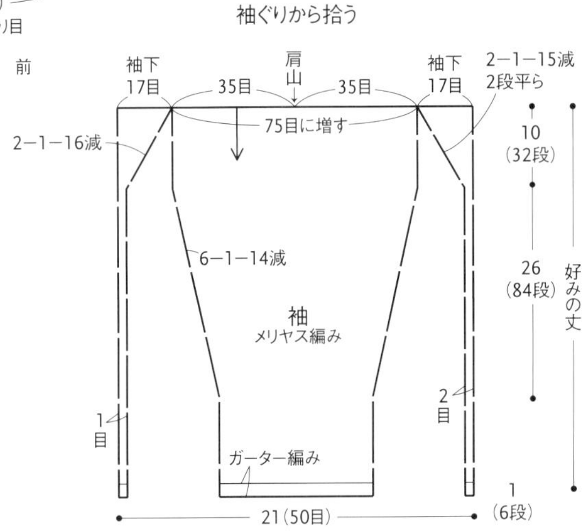

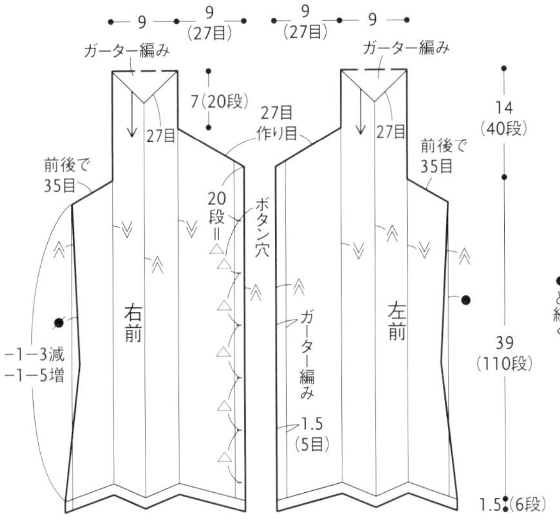

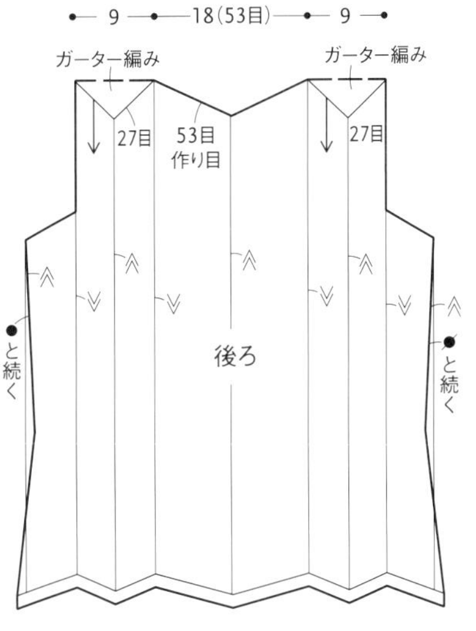

≪ =増し目

≫ =減し目

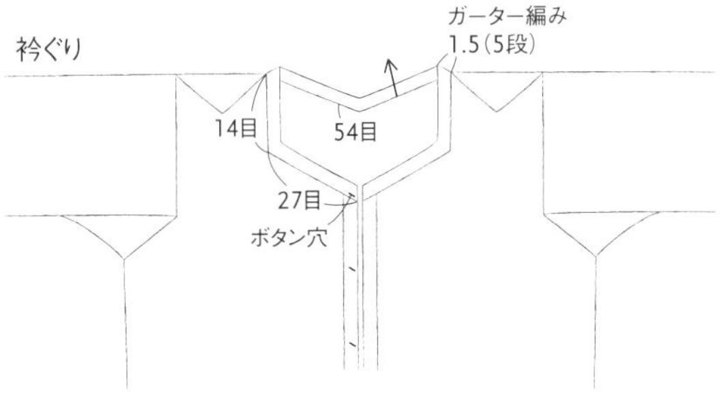

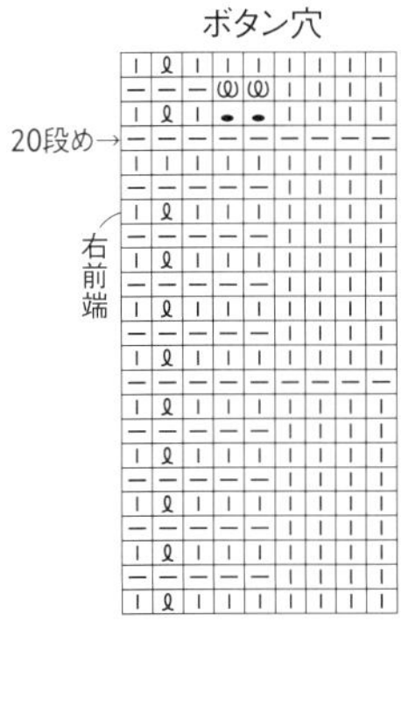

ジャジーデーズセーター JAZZY DAYS SWEATER p.44

寸法 ……… 胸回り 120cm
着丈 50cm
使用糸 …… Isager Tvinniのグレーパープル(47)200g = A
Tvinni、Highland またはAlpaca 2から4色各50g = B
Tvinni のダークワイン(52s)50g = C
色遊びを楽しみましょう。Aは全体を通して色番47を使い、各スクエアはそれぞれ2色の糸Bを使います
ゲージ …… ガーター編み2段とメリヤス編み2段のストライプで26目が10cm。スクエア1つは20cm四方
使用針 …… 3mm
略語 ……… K = 表編み
P = 裏編み
M = ねじり増し目
K2 tog = 左上2目一度
K2 tog tbl = 右上2目一度

身頃(モチーフから編む)

トライアングル1

糸Aで3目作り目をする。
段1:K1、M1、K1、M1、K1。
段2:K5。
段3:K1、M1、K1、M1、K1、M1、K1、M1、K1。
段4:K9。糸Bに替える。
段5:K1、M1、K3、M1、K1、M1、K3、M1、K1。
段6:K1、P11、K1。糸Aに替える。
段7:K1、M1、K5、M1、K1、M1、K5、M1、K1。
段8:K17。
段9:K1、M1、K7、M1、K1、M1、K7、M1、K1。
段10:K21。別な糸Bに替える。
段11:K1、M1、K9、M1、K1、M1、K9、M1、K1。
段12:K1、P23、K1。糸Aに替える。
段13:K1、M1、K11、M1、K1、M1、K11、M1、K1。
段14:K29。
段15:K1、M1、K13、M1、K1、M1、K13、M1、K1。
段16:K33。最初の糸Bに替える(このとき糸を引きすぎないように注意)。
段17:K1、M1、K15、M1、K1、M1、K15、M1、K1。
段18:K1、P35、K1。糸Aに替える。
段19:K1、M1、K17、M1、K1、M1、K17、M1、K1。
段20:K41。
段21:K1、M1、K19、M1、K1、M1、K19、M1、K1。
段22。K45。2つ目の糸Bに替える。
段23:K1、M1、K21、M1、K1、M1、K21、M1、K1。
段24:K1、P47、K1。糸Aに替える。
段25:K1、M1、K23、M1、K1、M1、K23、M1、K1。
段26:K53。
段27:K1、M1、K25、M1、K1、M1、K25、M1、K1。
段28:K57。最初の糸Bに替える。
段29:K1、M1、K27、M1、K1、M1、K27、M1、K1。
段30:K1、P59、K1。糸Aに替える。
段31:K1、M1、K29、M1、K1、M1、K29、M1、K1。
段32:K65。
段33:K1、M1、K31、M1、K1、M1、K31、M1、K1。
段34:K69。2つめの糸Bに替える。
段35:K1、M1、K33、M1、K1、M1、K33、M1、K1。
段36:K1、P71、K1。
最初の36目をほつれ止めに移す。

スクエア2

段1:トライアングル1に続けて糸Aで37目を編み、続けて36目を作り目する。
段2:K73。
段3:K34、K2 tog tbl、K1、K2 tog、K34。
段4:K71。3つめの糸Bに替える。
段5:K33、K2 tog tbl、K1、K2 tog、K33。
段6:K1、最後の目までP、K1。糸Aに替える。
段7:K32、K2 tog tbl、K1、K2 tog、K32。
段8:K67。
段9:K31、K2 tog tbl、K1、K2 tog、K31。
段10:K65。2つ目の糸Bに替える。
段11:K30、K2 tog tbl、K1、K2 tog、K30。
段12:K1、最後の目までP、K1。糸Aに替える。
糸Aで4段、2色の糸Bを交互にメリヤス編みを2段のストライプを編む。各表段で中央の目の両側で減目する。
糸Aで終える = 5目
続いて:
K2 tog tbl、K1、K2 tog(表段)。
K3(裏段)。
K3 tog tbl(表段)。最後の目を安全ピンに移す。これが後にセンターの目となる。糸を切る。

トライアングル3

トライアングル1と同様に編む。

スクエア4

スクエア2と同様だが、段1は次のように編む:糸Aで37

目編み、36目をトライアングル1の休めてある目から編む。

◎スクエア5
スクエア4 と同様だが、スクエア4と2から目を拾って編む(36目+トライアングル1のセンターの目+36目)。

◎スクエア6もスクエア2と同様だが、スクエア5から目を拾って編む。

◎トライアングル7 をトライアングル3と同様に、スクエア8〜12をスクエア4〜6と同様に編む。

◎スクエア13
糸Aで37目作り目をし、トライアングル7の一辺から36目拾って編む。スクエア14と15も前と同様に編む。

◎トライアングル16
他のトライアングルと同様に編むが、37目をほつれ止めに移す。

◎スクエア17と18は前と同様に編む。

◎スクエア19
糸Aで36目作り目をし、スクエア13のセンターの目を編み、スクエア14から36目を拾いながら編む。

◎スクエア20〜23は前と同様に編む。

◎トライアングル24
スクエア23より糸Bで36目を拾いながら編む。スクエア18のセンターの目を編み、スクエア2の一辺をトライアングル1に向かって下がりながら目を拾う。 平編みでストライプを編むが、段3より減目をしながら編む。3目残ったら、糸を切り、目に通して引く(P.72トライアングル3と同じルールで編む)。

◎スクエア25
糸Aで36目作り目をし、スクエア19のセンターの目を編み、スクエア20の36目を拾いながら編む。

◎スクエア26、27も同様に編む。

◎トライアングル28はトライアングル24と同様に編む。

◎トライアングル29
糸Bを用い、スクエア13から36目を拾いながら編む。トライアングル7の先端から上に向かい、スクエア26のセンターの目を編み、スクエア27の一辺から36目を拾って編む。トライアングル24と28と同様に編む。

表側からスクエア2と18をすくいとじする。スクエア13と26も同様にとじる。

両袖

糸Bを用い、スクエア19の一辺から37目を拾いながら編む。スクエア13のセンターの目も重ねて、スクエア19の一辺から37目を拾いながら編む。スクエア25の2辺からそれぞれ37目を拾いながら編む(148目)。輪でストライプを編んでいくが、スクエアの底の目(=◎)の両側で1目ずつ減し目をし、スクエアの頂点の目(=●)の両側で1目ずつ増し目をする。増し目と減し目は1段おきに行なうが、6段ごとの減し目では2目一度の代りに3目一度をする(袖が細くなっていく)。セーターを着てみて袖の長さを確かめるとよい。ストライプの色は好みの間隔で遊んでみると楽しい!!。
輪でガーター編みをする場合は、1段おきに裏編みと表編みを繰り返す。
頂点(=●)が袖口の長さまで到達したら(80目、約25cm)。*〜*をガーター編みの平編みで埋めていく。
このとき、各段の最初の1目を伏せ目をし、中央で減目をする。
もう一方の袖も同様に編む。

◎カフス
袖の下側から開始し、袖口から糸Cで52目を拾いながら編む。ガーター編みで4cm編む。最後に糸Bに替え、6段メリヤスを編む。目を伏せ、メリヤス編みの端を裏側に折り返して裏側でかがる。
もう一方の袖も同様に編む。

身頃裾

糸Cを用い、サイドから開始し、身頃裾 より約5cmに13目の割合でを拾いながら編む。 平編みで好みの長さまでガーターを編む。袖と同様に、最後はメリヤスを編んで伏せる。脇を縫う。

衿と仕上げ

糸 A で編む。スクエア 9 の頂点から開始し、スクエア10 の一辺から 37 目を拾いながら編む。トライアングル16から約50目。スクエア 15 から 37 目拾う。平編みでガーター編みを 12cm 編み、伏せ目をする。長方形の両サイドの下から 4cm をそれぞれネックラインに縫いつける。このとき、片方を下に、もう片方を上に重ねる。

ガーター編みの畝をつぶさないように裏側から優しくスチームを当てる。

ジャジーデーズセーター JAZZY DAYS SWEATER

トライアングル24、28、29はP.72
トライアングル3と同じルールで編む

前後身頃

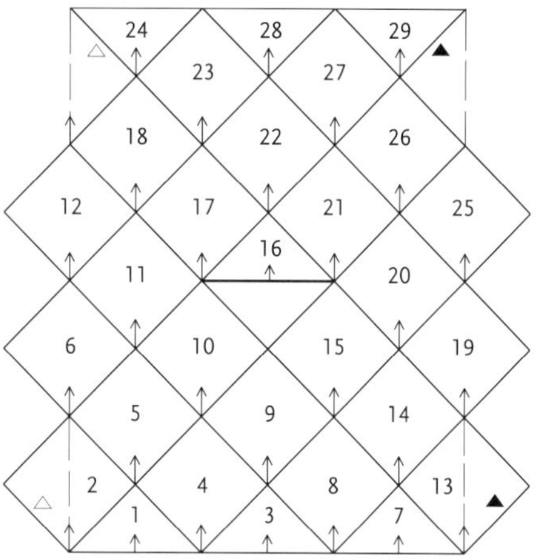

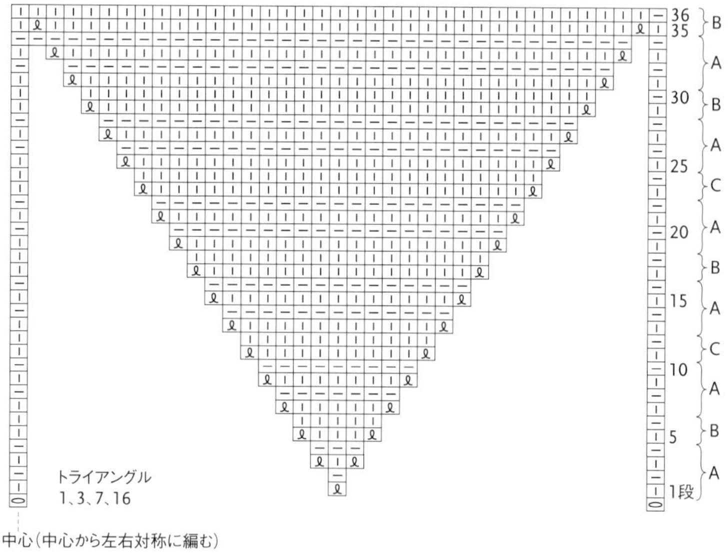

中心（中心から左右対称に編む）

袖 ガーター編み

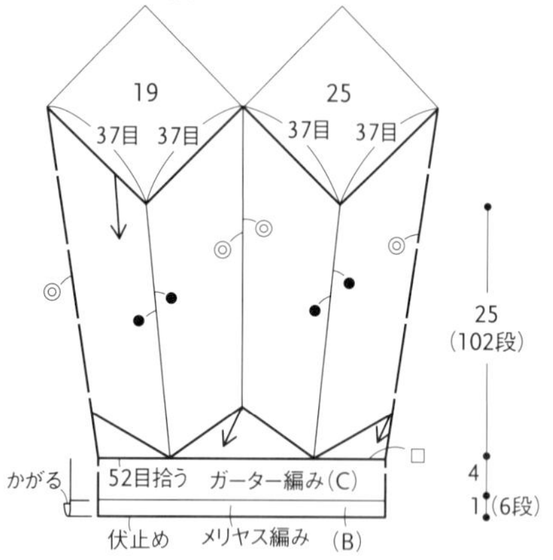

◎＝2−1−2
2−2−1 交互に減

●＝2−1−1増

□＝2−1−10減

衿

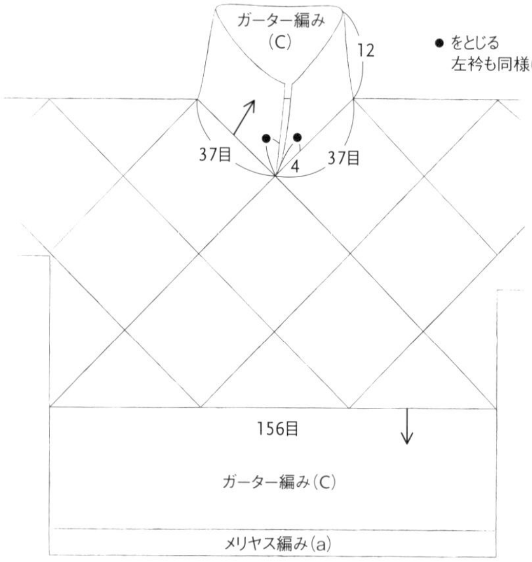

●をとじる
左衿も同様に

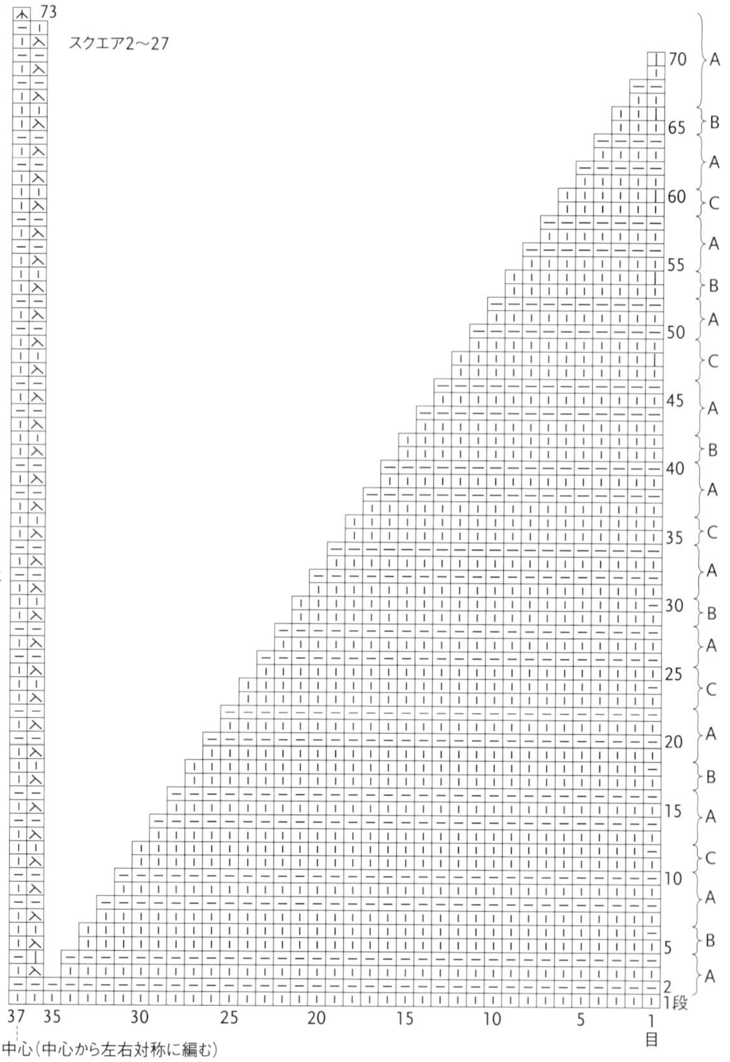

中心（中心から左右対称に編む）

風車キャップ WINDMILL CAP p.42

寸法 ……… 頭囲 50cm
使用糸 …… リッチモア　ソフアルパカの茶系(14) 25g = A
ソフアルパカのピンク系(12) 25g = B
シルクフィール〈プリント〉の金茶系(102) 20g= C
ゲージ …… レース模様18目36段が10cm四方、ガーター編み20目が10cm
使用針 …… ガーター編みは3.5mmの輪針、レース模様は4mmの輪針
略語 ……… K = 表編み
P = 裏編み
yo = かけ目
K2 tog = 左上2目一度

かぶり口から編む

糸AとCの2本どりで100目作り目をする。輪にし、*1段P、1段K*を5cm繰り返す。 最後の段で均等に90目減目する。

糸BとCに替える。
段1 : *yo、K2 tog*、*〜*を繰り返す。 最後のK2 togにマーカーをつける。
段2 : K。

上記を繰り返し、帽子の編始めから17cmになったら段2で終える。

◎減し目
段1 : *(yo、K2 tog)×8回、K2 tog *、*〜*を繰り返す。
段2 : * K15、K2 tog *、*〜*を繰り返す。
段3 : *(yo、K2 tog)×7回、K2 tog *、*〜*を繰り返す。
段4 : *K13、K2 tog*、*〜*を繰り返す。
段 5、7、9 : 段3と同様に、括弧(　)の繰り返しを1回ずつ減らして編む。
段 6、8、10 : 段4と同様に、ただしK13を2目ずつ減らして編む。

同様に減らしていき、最後12目が残ったら、糸を切り12目に通して引き絞る。

オプションとして、糸AとCのアンテナをつけてもよい。K2 tog×6回。*6目を針の右側に戻し、同じ向きに再び編む*。こうしてアンテナが2cm、または好みの長さになるまで編む。糸を切り6目に通して引き絞る。
端糸を始末する。

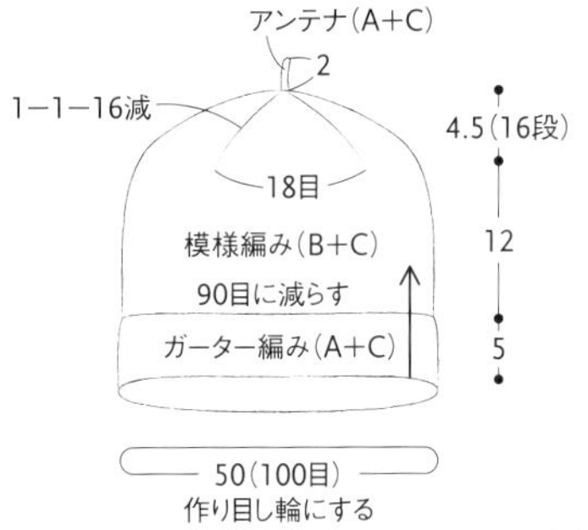

模様編み

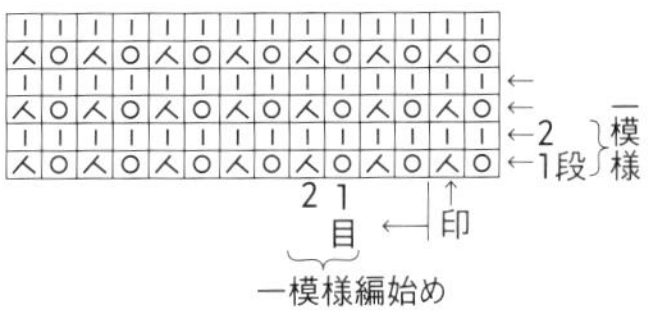

減し目

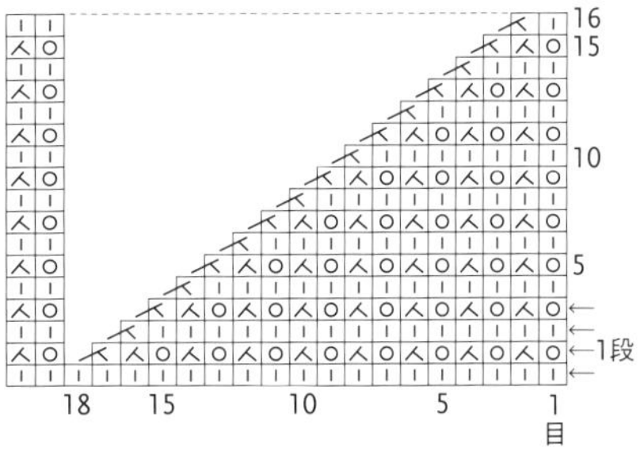

アンテナ

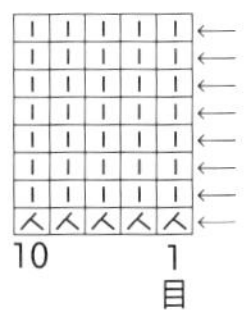

編み方のポイント

減し目

◆ K2 tog = 左上2目一度

1 2目一緒に手前から針を入れる

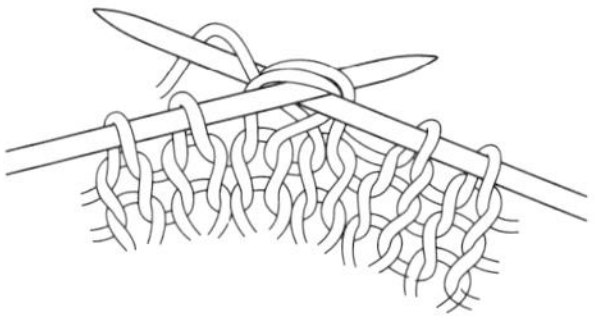

2 左が上になって1目減る

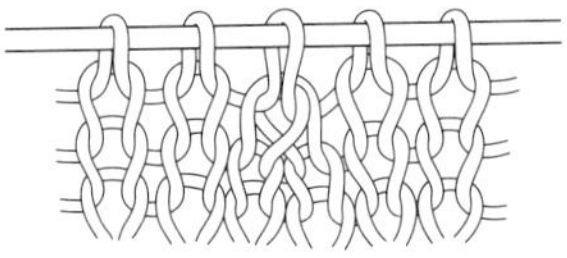

◆ K2 tog tbl = 右上2目一度

1 左針の2目の向う側に針を入れる

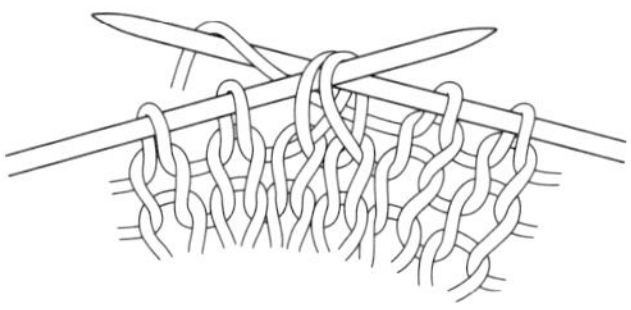

2 右が上になって1目減る

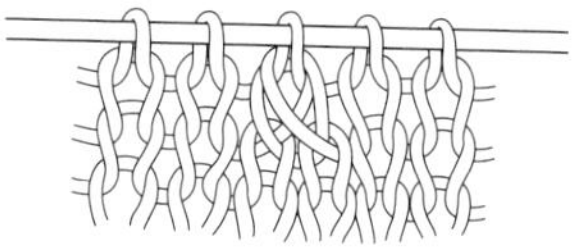

増し目

◆ Kfb = 1目から2目編みだす

1 表編みをする。左の目は外さない

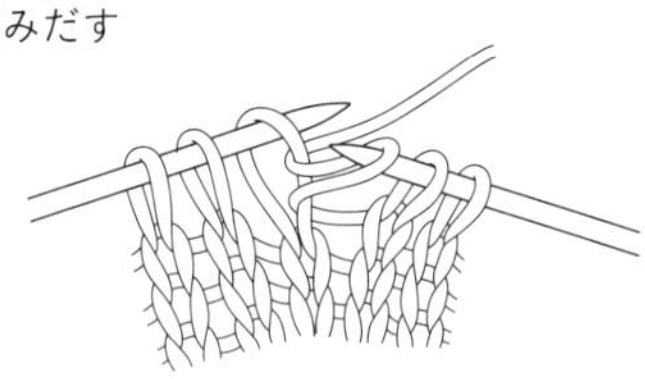

2 左の目の後ろ側に針を入れて表編み

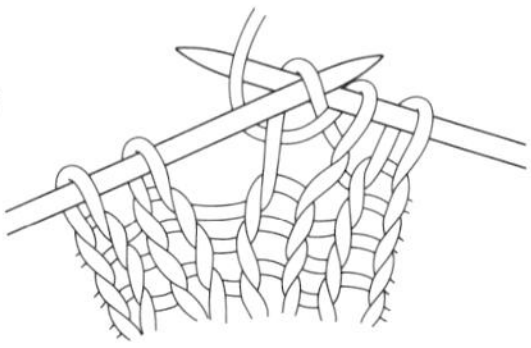

3 左針の目を外す。1目増し目

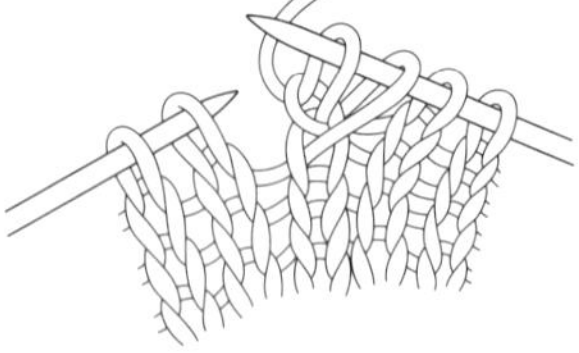

◆ M = ねじり増し目

1 目の間の糸を左針で手前から拾い、ねじるように表編みをする

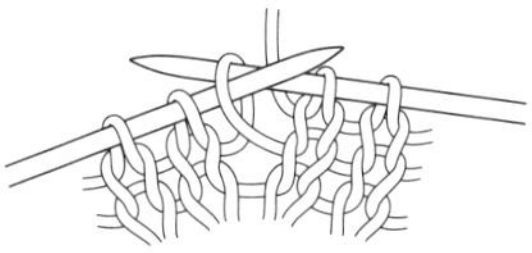

2 目の間に1目増し目

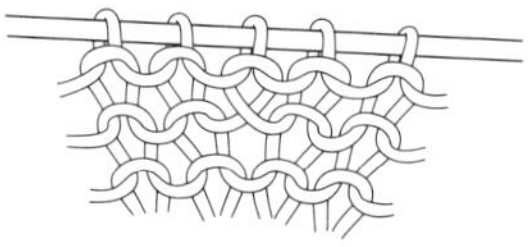

肩はぎ

2本の針に、それぞれ向い合う肩の目を通し、中表に合わせ手前と向うの目を3本めの針で2目一度に編んで伏せ目をする

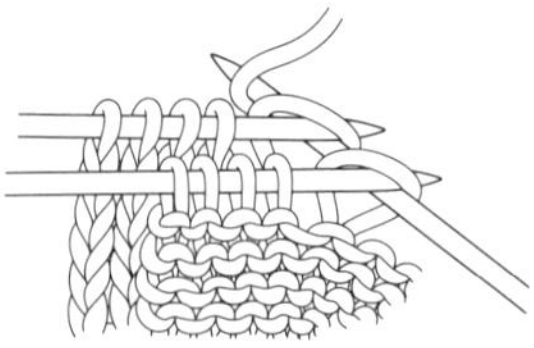

引返し編み

◆ 左側

1 引返すところまで編んだら持ち替えて、かけ目をする

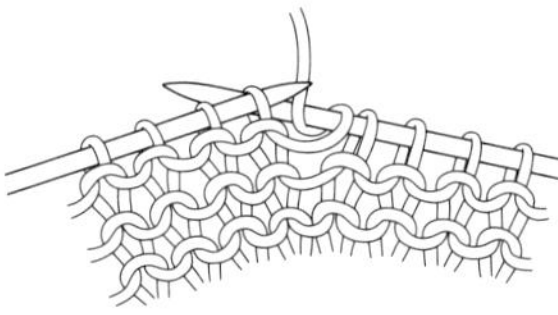

2 編み戻る

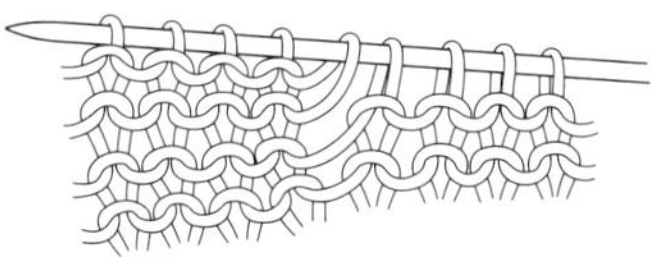

3 段消しは、かけ目と次の目を左上2目一度に編む

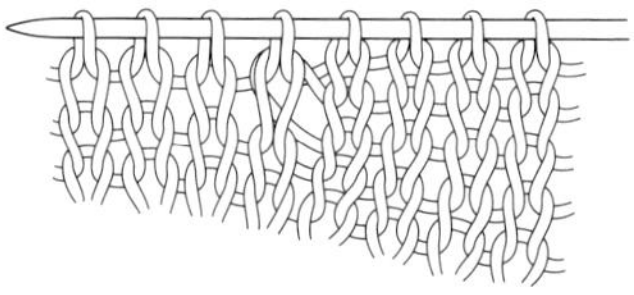

◆ 右側

1 引返すところまで編んだら持ち替えて、かけ目をする

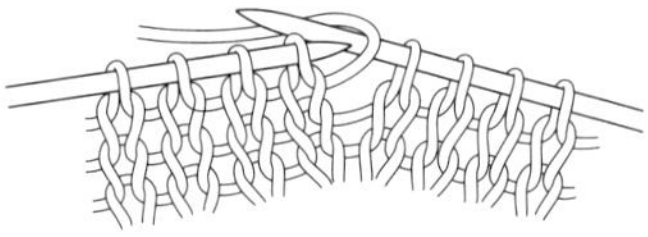

2 編み戻る

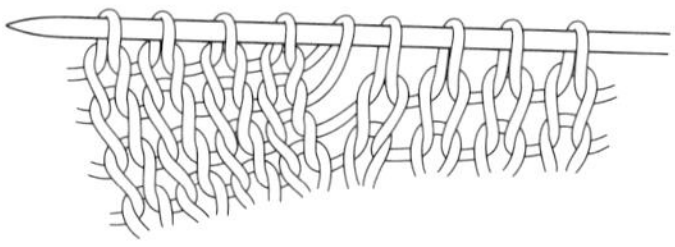

3 段消しは、かけ目を2目一度で編むが、かけ目が、裏側になるように重ねる

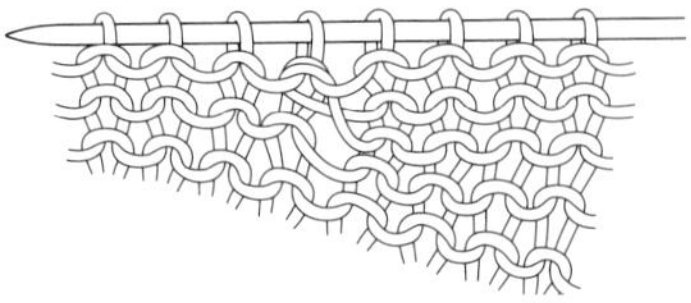

★この本で使用した毛糸

メーカー	糸名	太さ	素材	単位	長さ
Isager	Alpaca1	lace weight	ベビーアルパカ100%	50g	400m
Isager	Alpaca2	fingering weight	ベビーアルパカ50%、メリノウール50%	50g	247m
Isager	Highland	fingering weight	ウール100%	50g	279m
Isager	Plant Fiber	fingering weight	ラミー70%、ヘンプ15%、竹繊維15%	50g	151m
Isager	Spinni	lace weight	ウール100%	50g	302m
Isager	Tvinni	fingering weight	メリノウール100%	50g	256m
Isager	Tweed	fingering weight	ウール70%、モヘア30%	50g	199m
Isager	Silk Moheir	fingering weight	スーパーキッドモヘア70%、シルク30%	25g	210m
リッチモア	ソフシルクモヘア	合太	毛70%(スーパーキッドモヘヤ)、絹30%	25g	100m
リッチモア	シルクフィール	極細	毛(キッドモヘヤ)80%、絹20%	20g	185m
リッチモア	パーセント	合太	毛100%	40g	120m
リッチモア	キャメルツイード	合太	毛(キャメル)100%	25g	85m
リッチモア	ソフアルパカ	中細	毛(アルパカ)54%、ナイロン46%	25g	115m
リッチモア	エクセレントモヘア〈カウント5〉	合細	毛(スーパーキッドモヘヤ)76%、ナイロン24%	20g	100m
パピー	アルパカリミスト	合太	アルパカ80%、ウール20%	40g	112m
パピー	キッドモヘヤマルチ	極細	モヘヤ(スーパーキッドモヘヤ)79%、ナイロン21%	25g	225m
ホビーラホビーレ	リンネットウール	中細	ウール80%、麻(リネン)20%	40g	150m

★lace weightは、およそ極細程度、fingering weightはおよそ中細程度の太さ。

★針の太さ

2.5mm＝1号
3mm＝3号
3.5mm＝4または5号
4mm＝6または7号
4.5mm＝8号
5mm＝9または10号

撮影協力
CURRENT〈The Office Of Angela Scott〉 Tel 03-5452-4800 (p.17シューズ)
AWABEES Tel 03-5786-1600 (p.2いす)
MACH55 Ltd.〈MASTER&Co.〉 Tel 03-5784-3555 (p.8チノパンツ、p.11スニーカー、p.17リネンシャツ)
WHITE LODGE〈BLACK & BLUE〉 Tel 03-6421-8084 (p.15、40、45パンツ、p.30シャツ)
alpha PR〈AUGUSTE-PRESENTATION PAJAMALOOK〉 Tel 03-6418-9402 (p.36スカート)
nookSTORE〈NOOKAND CRANNY〉 Tel 03-6416-1044 (p.12タンクトップ、p.45Tシャツ)
FUKUBU〈YAECA〉 Tel 03-5724-3915 (p.11、17ウールスラックス、p.23、27スラックス、p.24スカート、p.27プルオーバーシャツ、p.39コート、p.48ドレス)
MUSEUM OF YOUR HISTORY 南青山店〈GRANDMA MAMA DAUGHTER〉 Tel 03-6418-5094
(p.12、29ベイカーパンツ、p.19切替えシャツ、p.23ブラウス、p.42柄シャツ)
mike gallery〈mike〉 Tel 03-3498-6023 (p.36ブレスレットにしたネックレス)

ブックデザイン　縄田智子 L'espace
撮影　新居明子
Simon Lereng Wilmont (p.4,5,20,21,34,35)
Henrik Bjerg (著者顔写真)
スタイリング　白男川清美
ヘア&メークアップ　廣瀬瑠美
モデル　kasumi
翻訳、編集協力　田中芽理 (amirisu)
デジタルトレース　day studio (ダイラクサトミ)
校閲　向井雅子
編集　志村八重子　平井典枝 (文化出版局)

毛糸提供

◆ イサガージャパン Tel 0466-47-9535 http://www.isagerstrik.dk/ (日本語サイトあり)
◆ ハマナカ リッチモア Tel 075-463-5151 http://www.hamanaka.co.jp/
◆ ホビーラホビーレ Tel 03-3472-1104 http://www.hobbyra-hobbyre.com
◆ パピー (ダイドーフォワード) Tel 03-3257-7135 http://www.puppyarn.com/

Isager 毛糸の販売ショップ

※取扱い製品は、販売店によって異なります。直接販売店までお問合せください。
◆ PRESSE (北海道) Tel 011-215-7981 http://momentsdepresse.com
◆ ONNELLINEN (東京) Tel 03-6458-5477 www.onnellinen.net
◆ クラッセ代官山 (東京) Tel 03-6277-5039 http://classe-daikanyama.jp
◆ HAND KNIT BA・MU・SE (東京) Tel 042-574-3494 http://bms-knit.la.coocan.jp
◆ いとや AYA STUDIO (神奈川) Tel 0466-77-4124 http://www.k2.dion.ne.jp/~vav.aya/top.html
◆ KUPU (千葉) Tel 0471-82-5510 http://kupu.jp
◆ NATUR (山梨) Tel 0551-36-3714 http://www.natur.jp/natur.php
◆ ROOM AMIE (大阪) Tel 06-6821-3717 http://roomamie.jp
◆ TEORIYA (大阪) Tel 06-6353-1649 http://.teoriya.net
◆ EYLUL YARNS (大阪) Tel 06-7163-4468 http://eylulyarns.com
◆ Fyn/ヴェアルセ (神戸) Tel 078-392-2536 http//.fyn.shop-pro.jp
◆ WALNUT KYOTO (京都) Tel 075-708-7210 http://amirisu.myshopify.com
◆ 手芸アトリエFIL (山口) Tel 083-227-2975 fil-chofu.shop-pro.jp/
◆ AMUHIBIKNIT (福岡) Tel 092-522-8725 www.amuhibiknit.com/

デンマークの暮しから生まれたニット

2014年10月12日　第1刷発行
2020年 1月27日　第2刷発行

著　者　マリアンネ・イサガー
発行者　濱田勝宏
発行所　学校法人文化学園 文化出版局
〒151-8524 東京都渋谷区代々木3-22-1
Tel 03-3299-2487 (編集) 03-3299-2540 (営業)
印刷・製本所　株式会社文化カラー印刷